經學研究叢書

當代臺灣經學人物
第一輯

林慶彰　主編
何淑蘋　編輯

目次

林序

我從事研究的過程中，在尋找人物的傳記資料時，有的經學家傳記資料很豐富，但卻沒有生卒年。要將經學家的時代做準確的推斷，就有相當的困難。尤其民國時期的學者，有不少事蹟不明，更何況要找到他們的生卒年。這種情形對研究工作來說，有莫大的遺憾。為了避免這遺憾重複的發生，及早為他們立一個傳，或做點報導，是最好的辦法。

我有感於此事的重要性，決定將當代海內外學人，做有系統的報導，在《國文天地》雜誌中刊登，每期刊登兩人，每人篇幅五千字為原則。在2006年5月《國文天地》發行第21卷12期（總252期）時刊登高明、李學勤教授開始，到2013年12月《國文天地》出版第29卷7期（總343期）刊登連清吉、陳滿銘（第二次刊登）為止，刊登了九十期，刊登的學者近兩百人。從29卷8期（總344期）起，這個工作由政治大學中文系學弟車行健教授來接任。

從這兩百人中，找出從事經學研究的約有八十餘人，臺灣的部分有將近四十人，大陸則有二十一人，海外的有十一人。為了讓讀者了解，經學家治學的方法和治學的特色，我們選取臺灣的經學家三十人，編為《當代臺灣經學人物》第一輯，以後每到一個時段就編成一輯。

各位如果打開這一輯的目次，可能會有點疑問，為何某些研究經學有所成就的學者，沒有收錄本輯中。這要跟學者說明的，是有些學者太過謙虛，不接受採訪，也不提供文稿。有些學者點名某人可以來採訪他，但是這些人怕寫得不好，也不敢接受，所以就這樣延宕下來了。我們希望出版第二輯之前，能夠得到他的文稿，以免被認為我們有意忽視他。

採訪學者的這八年間，歷經各式各樣的性格的學者，起先不太能適應，現在已可以淡然處之，好在我已把這工作交給車行健學弟，年輕人需要磨練，這是一個最好的磨練方式。很感謝這八年間，願意接受我們採訪和提供文稿的學者，這次把文稿集結成書，算是為這個工作做了初步的總結。本書的編輯與校對工作，由何淑蘋學弟全權負責，讓她辛苦了。本書的內容如果有疏忽的地方，敬請海內外賢達多賜予指教。

2015年7月20日

林慶彰誌於士林磺溪街知魚軒

高仲華教授的一堂課

陳光憲
德明財經科技大學講座教授

民國五十二年負笈華崗，成為這所號稱最高學府的第一屆學生，是我生命的轉捩點。這座新興的學府，名師薈萃，勝友駢集，朗朗的讀書聲縈繞在青山之中；宮殿式的飛簷之下，高懸著「大成館」三個大字，入門大廳的孔子畫像，彷彿告訴學子們這裡是「承擔中西道統」的神聖殿堂。

當年英挺博學的高明仲華老師，是引領我進入中國文學殿堂的恩師。他的每一堂課都清晰的嵌在我的心中，時時浮現在我的眼前。

一　高老師的第一堂課

民國五十三年秋天的一個清晨，山崗上雲霧繚繞，不時有淡淡似煙似雲的霧氣飄入了大成館的教室之中，上課鈴聲剛剛響起，走進一位西裝筆挺，高大英挺的教授，就是人如其名的高明老師。

走進教室，他環視課堂上的每一個同學，像春陽一般的展露了笑容說：「歡迎各位同學進入了文學的殿堂。」

他在黑板上寫下了：「中國人不懂得中國文學，就是不肖子孫。」他的板書字字蒼勁有力。

接著他走下講台說：

> 英國人常說：英國寧可拋棄英倫三島，但絕不拋棄莎士比亞。因為莎士比亞的文學作品是英國民族精神的寄託，如果拋棄了莎士比亞，就是拋棄了英國的民族精神，國土淪陷了，只要民族精神尚在，還是可以恢復失土，民族精神一旦不在了，國家就會陷入萬劫不復的地步。

他再一次看一看我們全班同學，在黑板上寫下：

> 中國文學就是中華民族歷代祖先的智慧結晶，它是中國的寶藏，後世子孫如果不知珍惜它，發揚它，就是不肖子孫。

寫完板書之後，高明老師為我們講解中國文學的特色與價值，他的每一句話都鏗鏘有力，全場的同學都為之動容，深深感受到中國文學優美和偉大，也感受到自身責任的重大。

高老師看到同學們聚精會神的聽他講解，露出了燦爛的微笑，又寫下了「讀書與交友」幾個大字。勉勵同學讀書要讀好書、讀重要的經典大書；交友要交善友，要交友直、友諒、友多聞的善友。

高老師看到同學注目的眼神、會心的微笑，他在黑板上寫下李光地《榕村集·論讀書方法》：

> 讀書要有記性，記性難強，須用精熟一部書之法，不拘大書

> 小書能將此部書爛熟，字字解得，道理透明，諸家說都能辨明高下，此一部便是根，可以觸悟他書。如領兵十萬，一樣看待，便不得一兵之力，如交朋友全無親疏厚薄，便不得一友之助，領兵必有幾百親兵死士，交友必有一、二肝膽，此外便皆可得用，何也？我所親者，又有所親，因類相感，無不通徹，只是這部書卻要實是丹頭，方可通得去，倘熟一部沒要緊的書便沒用，如領兵確親待一夥極想作姦犯科的兵，交友卻結交一班無賴之友，如何聯屬得來？

高老師寫完之後，又為同學作更深刻的剖析，勉勵同學讀好書、交好友。一堂課下來，同學都感到受益無窮，同時學到了為學與做人，班上的讀書風氣彷彿受到了激勵，同學的感情也更加篤厚。

通學生方面田博元與劉久雄成為莫逆之交，日後田博元擔任華梵大學校長，劉久雄順理成章的擔任學校的總務長；賃居「下竹林」的閔宗述、林端常、洪惟助，有「竹林三賢」之稱，他們在學問上互相砥礪，畢業之後，分別在政大、文化與中央大學任教；我與邱衍文、蕭信雄被稱為「華岡三劍客」，從少到老，一直是相知、相惜的好朋友。

二　勉爲君子儒

這所新興的學府充滿了蓬勃的朝氣，身為第一屆的學生，我與邱衍文、蕭信雄等同學發起創辦孔孟學社與佛學社，特別商請高老師擔任孔孟學社的指導教授，他欣然答應，為刊物題名為「述儒」，同時勉勵我們「要做君子儒，不要做小人儒」。

在系辦公室裡，高老師問我：「你知道『君』的意義嗎？」我說：「就本義而言，君從尹從口是發號司令的人；就《白虎通》的解說，君者群也，群下所歸心也。因此『君』是擁有群眾，能為群眾服務，又得到群眾所擁戴的人。」老師緊接問：「何謂君子？」我說：「應該是才德兼備的人，《論語》中『君子』兩字出現的數次很多，如：君子謀道不謀食、君子憂道不憂貧、君子泰而不驕、君子坦蕩蕩……等等。」「那麼『君德』呢？」我不知如何回答，老師微笑著說：「要瞭解儒家思想不能只讀《論語》，經學、子學都要貫通，要瞭解『君德』必須多讀《周易》。」老師這一席話，啟發我日後從事《易經》的研究，除了跟老師請益之外，又跟隨警察大學的張廷榮教授與吳若萍教授研究《易》學。

離開系辦公室時，特別叮嚀：「要做一個君子儒，必須多讀聖賢書，要弘揚儒學，一定要考上研究所。」高老師的勉勵，促使班上同學以弘揚儒學為己任，畢業當年有田博元、閔宗述、邱衍文、陳光憲、謝素行、陳煥芝分別考上政大、師大及文化大學研究所，第二年又有洪惟助、王芳彥、林端常、賈禮分別考上以上三個研究所，民國五十年代國內只有少數幾所研究所，每所只錄取三至五名，這樣輝煌的成績，讓高老師非常高興。仲華老師當年擔任政大研究所所長，雖然他常常以我只差少許成績沒考上政大，表示遺憾，但是我與邱衍文從碩士到博士論文的寫作，都得到高老師的關心與指導。

三　生動活潑的教學

聽高老師講課是一種心靈上的最高享受，因為老師的教學方法既多元又活潑生動。當時一般教授的授課方式，大都是以唸課文和抄寫板書為主，但是老師喜歡用圖表來講解經學的內容，只要畫上一張圖表，就像小宇宙一樣的遍照十方，課文內容深深烙印在腦海之中。

高老師講〈大學〉的三綱領、八條目，其圖表如後：

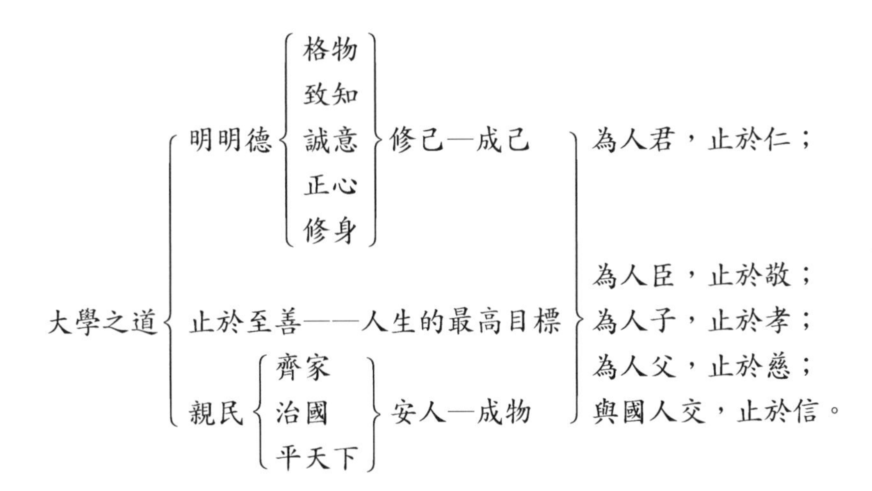

高老師的圖表清晰明白，加上老師的補充說明，讓我們了解到格物、致知是「知」的功夫；誠意、正心、修身是「行」的實踐，有所「真知必能力行」，由此達到「明是非、別善惡、知先後、識本末」自強不息的境界。

短短的一堂課中，由於老師的精闢講解，整篇〈大學〉的內容，即時鑲嵌在腦海之中，永誌難忘。

義理思想的課程，仲華老師喜歡用圖表補助教學，講《易經》時，老師手畫卦圖，清晰有力，何謂變卦？何謂錯卦？互卦？綜卦？在老師的一筆一畫之中，變化無窮，深刻的體會到「易，窮則變，變則通，通則久」的道理。

講宋明理學時，高老師特別提醒我們范仲淹有功於宋代學術的復興，《宋元學案》列為宋代開山祖的胡瑗（安定先生）、孫復（泰山先生），一得到范仲淹的薦舉而有名於天下，一得到范仲淹的濟助，又授以《春秋》，終於苦學有成，成為一代宗師，范仲淹文正公列為第三，高老師言下之意，彷彿為帶動宋代儒學復興的文正公感到委屈。文正公的門下士，如富弼、文彥博、劉牧、范純仁、吳希哲、張載等人都是溫文儒雅之士，而且都有功於當代；至於石介，高老師認為個性太過剛烈。擇善固執，嫉惡如仇固然可愛，然而辯論時事，憂時論道、批判時人，如果不得其法，不但無益政局，反而加深世亂。宋代有黨錮之禍，徂徠石介實在難辭其咎，石介英年早逝，亦個性使然，應引以為誡。

在文學詩詞的課程方面，高老師特別重視聲律與語言風格的剖析，印象最深刻的是老師講解〈孔雀東南飛〉的神情，他仿效每一個詩中人物的聲音動作，達到唱作俱佳的最高效果，讓全班學生都陶醉在其中，也啟發我們日後在講堂授課時的自我要求。

四　濟濟多士，弘揚國學

高老師先後擔任臺師大、文化、政治大學中文研究所所長，指導碩、博士班學生，常常勉勵「濟濟多士」要以「弘揚國學」為己任。

民國五十八年，我與學妹鐘素敏結為連理，成惕軒教授、李漁叔教授、魯實先教授都親自撰寫對聯祝賀，尉素秋教授為介紹人，仲華老師擔任證婚人，高老師顯得格外的高興。由於當天是十一月十一日，十與一，合而為一個「士」字，他以「濟濟多士」為主題，應用《詩經》：「福祿鴛鴦」、「宜室宜家」勉勵經營幸福美滿的家庭，他的致詞就像一位慈祥的父親對子女的殷殷期望，聽起來覺得格外的溫馨。

民國六十四年八月，我以三十三歲之齡，擔任德明商專（德明技術學院）校長，成為全國七十二所文武大專院校最年輕的校長，高老師非常高興，要我多照顧師門兄弟姐妹，他說只有互相扶持，才能精進學問，無論學術、道德、聲望、德望都能水漲船高。

由於高老師的提示，在擔任校長十一年多的時間之間，校園之內，所有的師資都是俊彥之士，國文課程的相關老師有黃永武、張夢機、羅宗濤、沈謙、李瑞騰、吳哲夫、曾榮汾、鄭寶美、竺家寧、陳素蘭、吳達芸、古添洪、汪中文、張高評、邱衍文、陳坤祥、陳兆南、林正三等博學之士，有人戲稱有如此的陣容，成立一個國學研究所都綽綽有餘；在法科的教師方面，有林國賢、黃守高、蔡調彰、吳啟賓等人，後來都成為總統所提名任用的大法官，在商科方面都是理論與實務兼具的師長，因為名師駢集，成為教育部評鑑的績優學校。

五　穿青年裝裝青年

擔任校長期間，我與高老師過從更密，指南山下的化南新村，是我經常拜訪的地方，也常常接送老師前往演講，畢業之後還能追隨老師聆聽教言，可說是人生的一大福緣，同時也更了解仲華恩師風趣幽默的一面。

七十年代，經國先生提倡穿青年裝，公立學校也都為師長們訂製新裝，一日，高老師換上新裝，顯得格外的英氣逼人，高師母送到門口，一時高興做了對聯：「穿青年裝裝青年」，高老師顯得有點驚喜，學英語的高師母，竟然也會做對子，高老師深情款款地望著師母說：「我要對出妳的對聯，妳可別吃醋生氣喔！」此時又對師母深情的一笑，說：「到婦女會會婦女」，果然是巧聯妙對，老師在哈哈一笑中與我驅車離去，後來對聯披露在中央日報的「趣譚」，成為一段儒門的佳話。

有一次，我與老師同往陽明山中山樓開會，會後偕遊陽明公園，在光復樓前，高老師提起了陳定山「水清魚讀月，風靜鳥談心」的對聯，又說：「遊陽明山，不能不了解陽明理學，尤其要記得王守仁『謙為眾善之基，傲為萬惡之魁』的名言。」我們邊走邊談，花香中還有書香的氣息，我覺得這才是真正的如沐春風。

擔任校長期間，我曾經邀請屈萬里、王靜芝等大師在大直碧海山莊貴賓廳用餐，在場還有總統府秘書長鄭彥棻，酒酣耳熱之際，大家無所不談，但是都環繞在甲骨、金文、詩詞與書法之間，高老師頗為感傷的說：「最近手常發抖，已經無法拿毛筆寫字，光憲與我最為相近，可惜我不能寫一幅字，留給他作為紀念。」此時，我才注意到老師已經沒有當年的英挺。

六　哲人其萎

高老師過世之前，兩度住院，弟子們都安排時間，前往照顧。我到醫院時，老師示意我推著輪椅帶他到戶外走走，當天天氣很好，沒有大太陽，只有微風習習吹來，路上有人跟他打招呼，他都點頭微笑，其中有人問說：「是你兒子嗎？」

老師依然點頭微笑，沒有說不是。

當天我們談得很多，談佛學、談命理。老師說抗戰期間，命相師說他命中有兩妻，他本來不相信，但後來卻應驗了，流年只批到七十二歲，最後寫上六個大字：「積德行善，再延！」老師說：「如今年過八十，相當滿足。」

近年來，我在碩、博士班授課，恩師的音容笑貌時時浮現在眼前，雖然老師仙逝多年，但是門人弟子遍及海內外，「濟濟多士，弘揚儒學」的殷殷期望已經生根茁壯，仲華恩師當可以含笑於九泉。

吳璵教授的治學特色及其成果

——以甲骨卜辭考證殷商爵等的先驅

鄭月梅
嘉義大學中國文學系講師

一　前言

要不是蕭何月下追韓信，那有劉邦的大漢天下，那有「功高震主」的淮陰侯呢？要不是徐庶走馬薦諸葛，那有三國的蜀漢，那有「鞠躬盡瘁，死而後已」的諸葛武侯呢？而蕭何、徐庶令人敬佩的不只是他們擁有識人的眼力，更在他們勇於薦舉人才的真誠。因此，國家才能用人才，人才才有揮灑的舞臺，歷史也因而增加了光彩。

但是人才從來就不是自然產生的，而是用心培養出來的。所以，擁有識人眼力的人假如又有培養人才的能力，那就更難能可貴了。二十世紀的學界，曾有過這樣動人的情事。要不是羅振玉（1866～1940）割贈所藏的《說文》、《爾雅》、《十三經注疏》以及戴、段、二王諸人的書給王國維（1877～1927），勸導嗜好哲學、文藝而徬徨無所歸的王國維從事樸學，並邀他同赴日本、供給他生活，讓他專心於訓詁名物的考證，又把所藏的金石文字、甲骨刻辭送給他，悉心的為他解答疑問、和他討論研究所得，那有王國維後來在甲骨學上的創發、成就與貢獻呢？正因為有羅振玉這樣無私的獎掖、提攜，我國學術界才有「五百年不世出」的學術大家王國維，而王國維的才學識見也因此找到展露的平臺，並綻放他的學術光采。

其實，社會需要各式各樣的人才。各式各樣的人才也需要各式各樣不同的合適機會和培養方式。因此以培養人才為目的的教育界，就更需要有像蕭何、徐庶、羅振玉等特質的人才。只是這種想望是可遇而不可求。然而，卻真的發生在南臺灣的大學裡。當年要不是高旭輝院長無私的舉薦、倪超校長求才的真誠，那有臺灣師大國文系吳璵教授借調成功大學的一段佳話呢？要不是吳璵教授有獨到的識見、堅毅的精神，那有日後成大校園的一段美談呢？

然而，這究竟是怎樣的一段經過呢？為什麼在臺灣師大國文系教授「甲骨文」、「尚書」、「史記」等課程的吳璵教授，能被成大文學院高旭輝院長發現他的長才呢？難道吳教授有什麼過人之處嗎？想瞭解這些問題，須先了解吳教授的學習與經歷。

二　學習與經歷

（一）求學的經過

吳璵教授，字仲寶，江蘇省泗陽人。民國十九年（1930）生於引河鄉吳家漥。學齡時期正好遇上抗日戰爭，到處烽煙瀰漫。他的父兄為了保家衛國，都隨軍隊在外抗戰，他則跟從母親看守家園，並入鄉間小學讀書。每逢農忙，人手不夠，便輟學在家幫忙，因此他初小的學業就這樣斷斷續續，最後竟不了了之。抗戰勝利後，他跟隨家人到杭州，十六歲入杭州安定中學；不久，再到南京，轉讀南京市立第二中學；沒過多久，又到上海。初中還沒畢業，就因時局緊張，匆匆離開上海。最後追隨國軍到臺灣，十九歲考入建國中學夜間部。建中時期，因受國文教師胡廷策先生的啟發與鼓舞，興起強烈的求學意志，從此每週週六的下午都到胡老師家請益受教。由於胡老師用心的教導和他自己不懈的努力，民國四十一年高中畢業，順利考入臺灣省立師範學院。大學時期，他自以為受益最多最深的課程是牟宗三（1909～1995）教授的「中國哲學史」和屈萬里（1907～1979）教授的「尚書」。在可敬可親的哲學家牟教授的薰陶與引領下，啟發他追求人生境界的意志；在經師人師的典範屈教授身教言教的感召下，不只使他覺得「《尚書》不是天書」，也啟發他研讀《尚書》的興趣。

民國四十五年，大學畢業時，他一心想出國留學，就從容入伍服役。不料，快退役時，竟遇上八二三砲戰，而原本出國留學的計畫，也因托福考試成績不理想，決定改弦更張投考研究所，決心以教書為一生的事業。因此耽擱了許多時間，直到民國五十年才考入母校國文研究所。就讀碩士班時，因修讀魯實先（1913～1977）教授的「甲骨文」，也旁聽魯教授在大學部開授的「尚書」、「金文」、「史記」等課程。魯教授是自學有成的著名學者，二十六歲就以《史記會注考證駁議》嶄露頭角為學界所重，受聘講學於復旦等大學。不僅深研《史記》有得，又長於經學，精於小學，在甲骨文、金文方面都有獨到的研究成果。吳教授深心佩服魯教授淵博的學識、扎實的學問，對他講課時精密的論證、精闢的見解更是心悅誠服，決意追隨魯教授研究學問。民國五十三年，吳教授在魯教授的指導下完成《竹書紀年繫年證偽》，通過口試，取得碩士學位，也獲得留系擔任講師的機會。

民國五十六年以《殷商子爵考》升等為副教授，民國六十年以《殷商封爵考》升等為教授。民國六十五年八月借調成功大學，接長中國文學系，民國七十年八月歸建。民國八十五年三月自臺灣師範大學國文系退休。

（二）偶然的經歷

民國六十三年，吳教授因參與會議，偶遇時長成大中文系的王淮教授，接受邀約南來成大兼課教授「甲骨文」和「尚書」。不料「客卿」竟成日後的「主任」。民國六十五年中文系系主任出缺，校長正為人選煩惱時，長文學院的高旭輝教授，突然想起那個週末中午常因逾時下課而匆忙下樓趕車的身影，意識到這必定是位認真負責的老師；在向中文系工友打聽後，知道是師大來兼任教授「甲骨文」和「尚書」的老師，就將他推薦給時長成大的倪超博士。倪校長隨即偕同高院長親往臺北。突然見訪，吳教授甚感「受寵若驚」！在得知來意，又見「聘書」已經寫好，深感盛情難卻，只得允諾為中文系「打拚」，並保證以中文系的大學評鑑排名「向上提升」為努力的目標。

接長中文系後，吳教授首先在系務會議上，鼓勵系內同仁進修，並推動大一國文課程改革，統一教材、統一命題，以加強大一的教學能量，提昇學生的國文水準。還以身作則，親自教授中文系「大一國文」課程。系主任教授大一國文，這可能是臺灣第一人。又積極引介各方面的專家、新秀，如呂興昌教授、吳達芸教授、汪中教授、汪其楣教授、施人豪教授、曾永義教授、張子良教授、張夢機教授、顏崑陽教授、龔鵬程教授等，或來演說，或來授課，以充實專業課程，開闊學生的學識視野，增進其學養。

在學生方面，則利用系內集會，對學生精神講話。首先建立學生信心，要求中文系學生面對其他學系的學生要抬頭挺胸，不可妄自菲薄。因為中文學海博大淵深，只要書讀通，自然觸類旁通，到那裡都走得通。同時以「積極參與」活潑學生的心志、喚起行動的熱情。從十一月的校慶運動會開始，師生同心協力、「並肩作戰」，不僅贏得許多技藝競賽的獎項，更獲得最高榮譽的精神總錦標。從此大大提振師生的士氣、緊緊凝聚全系師生的向心力。

又推行學長制，規劃讀書會，增進學生間的情誼，以提高學習的風氣，再積極輔導學生報考研究所。不但打破七年沒有學生報考研究所的記錄，也提升成大中文系的排名。

為了激勵學生學習的興趣，發揮有教無類的精神，開放轉系的大門，採取「欲去者不留，想來者歡迎」的態度。雖然，當時系內師生對此有許多不同的意見，但是，事後證明這是正確的措施。因為當年的轉系、轉學生，後來多有良好的表現和成就。

在專業技藝的養成上，除了設計多元化課程，以激發學生潛能，培養其多方面的才能，滿足其追求理想的需要外，還延續尉素秋主任任內設立的鳳凰樹文學獎並擴大辦理，公開評審、頒獎，鼓勵學生寫作，培養其創作的能力。又增設鳳凰樹劇展，寓教於樂，提供學生磨練編劇寫作的機會。這最初只是想鼓勵學生多閱讀原典，以改編舊作、重新編劇演出為主，沒想到這無心插柳的舉動，竟意外激起學生創作的興趣，也為臺灣戲劇界培養了優秀的戲劇學者與編劇人才。

五年中，在上下一心、內外一致的努力下，不僅為成大中文系注入了新活力、開啟新契機，也為社會培養了許多優秀的人才。像剛從成大文學院院長卸任的陳昌明教授、現任臺南社區大學校長的林朝成教授（以上二人，當年分別由理工學院轉入中文系）、現任成大語言中心中文組主任的吳榮富教授、已從臺大戲劇系系主任卸任的林鶴宜教授、現任臺南大學語文中心主任的黃宗義教授、已從嘉義大學總務長退休的周天令教授、任教成大中文系的吳文璋教授、林耀潾教授、已從臺南市忠孝國中校長退休的吳福春先生、現任美國南加州帕沙迪納市立學院中文部主任魏瑞琴教授、《新新聞》雜誌執行董事汪仁玠先生、《中華日報》執行副總編輯林釗誠先生、已從《聯合報》編輯中心主任卸任，現任編輯顧問的康錦卿女士、曾任《聯合文學》總編輯，現任《INK印刻文學生活誌》總編輯的初安民先生，以及臺灣著名的電視編劇林齡齡女士等，都是吳教授當年接長成大中文系時所培育的人才。

三　治學的門徑

吳教授的治學理念，主要得自屈教授的啟發和魯教授的指導，又受當時甲骨學風潮的影響。殷墟甲骨卜辭，自清光緒二十五年（1899）被發現以來，經過私人與公家二十餘次的發掘，早已引起海內外學界的關注，在劉鶚（1857～1909）印行《鐵雲藏龜》、孫詒讓（1848～1908）完成《契文舉例》以後，更吸引中外許多學者投入研究，形成二十世紀新興的甲骨學。由於羅振玉對甲骨卜辭的確認，並發現它有古文字和商代史料的價值，因而寫成《殷虛書契考釋》、《殷商貞卜文字考》；王國維因此受啟發，乃據甲骨卜辭以參正經傳、史書，寫成《戩壽堂所藏殷虛文字考釋》、《殷卜辭中所見先公先王考》、《殷卜辭中所見先公先王續考》等。尤其是後二書，不只補正司馬遷《史記・殷本紀》中殷王名號世次的失誤與闕漏，解決數千年來的學術爭論，也為「二重論證」提供最佳示範，成為新史學的典範。從此不僅確立殷墟甲骨卜辭的學術價值，也使甲骨學擺脫札記式的摸索走向學術研究。受到羅振玉、王國維的啟示，吳教授的治學路徑也從甲骨文入門，先以殷墟甲骨卜辭考證商代史，再據殷墟甲骨卜辭正解經傳，最後用以考正文字。

從碩士論文到教授升等論文，其間雖有零星的單篇論文，如〈卜辭征伐釋例〉、〈卜辭第一人稱論證〉等，而此期的著作主要仍以考證古史為重心。吳教授認為：「甲骨文乃殷代當時文獻……係最可靠之原始資料，據此不僅可以糾正不少傳說錯誤之史實，也可以補充許多古書中失載之史料。」（《甲骨學導論》，臺北市：文史哲出版社，1980年，頁61）所以碩士論文《竹書紀年繫年證偽》，就利用曆法學、殷墟甲骨卜辭、《尚書》、《左傳》和其他先秦載籍，以及相關的史書文獻等，考證《今本竹書紀年》全書繫年的謬妄，以印證《今本竹書紀年》確實是後人所偽作。至於升等論文《殷商子爵考》和《殷商封爵考》，則是探討殷商的爵等問題。《殷商封爵考》蒐羅殷墟卜辭中所見的侯某、伯某、子某等名稱，並詳加考查、比對文獻資料，發現殷商有侯、伯、子三等爵，正如《緯書含文嘉》所說，而不是《白虎通・爵篇》：「公、侯、伯」的說法。此外，還疏證諸爵的封域、考求地理的沿革，再探索文字的根源、訂正誤說。不僅解決數千年來殷商爵等說的爭訟，也是以殷墟甲骨卜辭考證殷商爵等的先驅。

從〈尚書新證〉、《信陵君列傳析注》到《新譯尚書讀本》，則以《尚書》的訓詁校讎為重點。吳教授以為：我國歷史悠長，經傳難免有積非成是、或傳聞失實，以致解釋乖誤的情形。若以接近原始字形之甲骨文字，循文字形體之變遷，聲音之演化，來詁訓典籍，就能正解經傳。所以據甲骨卜辭考求字義，糾正舊說，正解經傳，並以白話文語譯，引導、輔助青年學子通讀經書。對推廣經書，傳揚學術，極有功勞。

從〈原囪〉、〈由段氏說文注補「由」說由〉、到《打破砂鍋問到底——解字尋根》等，則是吳教授考正文字的著作。因為文字是文化之母，一切學術的基礎，不通文字，就不懂經典，也無法瞭解文化的演進，及古人的思想、制度。張之洞曾說：「由小學入經學，其經學可信；由經學入史學，其史學可信。」而吳教授以為「欲使小學可信，則必須從甲骨文入手。」（見前書，頁64）自甲骨文字出土後，過去被奉為金科玉律的《說文》被發現有許多闕誤；所以吳教授乃據甲骨文字踵接魯教授之後，對《說文》的闕誤多所發揮。

四　結論

吳教授生逢亂世，為避戰禍，流離遷徙，求學之路幾經波折，在學問追求的道路上雖然起步晚，因為深得名師教益，又懂參酌前人的成果，加上自己的努力，在學術研究上頗有所得，也常有獨得之見。如殷爵侯、伯、子三等說；又如〈婦好正名〉，以「婦好」為「帚子」，是生於子地或封於子方的女領袖；〈由說文重文透視所謂簡化字之根源〉主張如要改革簡化文字，可由：「一、文字復古化——證據說話，二、借用通假字——運用方便，三、運用形聲字——源頭活水」入手或可覓得解決之道；〈說龍〉，主張龍是古代真實存在的動物，甲骨文[illegible]字是象形文，其形象類似河南新鄭出土現存博物館的盤龍方壺上的龍造型，而且《漢書》有龍現的記載、《史記·老莊申韓列傳》孔子也有描述龍的話語，都可印證古代有龍。

雖然已經退休多年，依然持續研究，並在中央大學兼任教授「甲骨文」和「尚書」，且年年發表論文，除上述著作外，還有〈說隹〉、〈釋「對揚」〉、〈《洪範九疇》的時代意義〉、〈由伏羲畫卦探究中國文字之創始與演變〉、〈淺釋卜辭干支表中之五子〉、〈淨化傳統文化的甲骨文〉及〈始一成三的中山思想提要〉等。

從吳教授的研究論著中，可以發現：不論是考證古史、正解經傳，還是考正文字，甲骨刻辭都是他重要的學術根據。可以說，甲骨學是他學術論著的基礎。雖然以甲骨刻辭補正古史、解決學術爭論之風尚不是由他起頭的，但受魯實先教授的學術薰染和影響，他承續甲骨刻辭的研究風尚，在推廣甲骨刻辭的學術應用上，不僅取得個人成果並作出的貢獻，也表現他考真辨偽、匡誤辨正、存真補漏的治學精神與傳承經典、弘揚學術的治學特色。

程元敏教授研究《尚書》的成就

陳讚華
佛光大學歷史系碩士

儒家經典有所謂十三經，《尚書》是其中的一種。今本《尚書》分〈虞夏書〉、〈商書〉、〈周書〉三大類，計有五十八篇。其中三十三篇是屬於今文《尚書》的系統，另外二十五篇是偽古文《尚書》的系統。今文《尚書》收錄的都是三千多年前留下來的文獻，文字非常古奧，韓愈〈進學解〉說：「周誥殷盤，佶屈聱牙」，可見古文大家都覺得難。文字雖然艱澀，因古代人相信《尚書》是聖人的著作，所以歷代傳習不絕，也產生許多研究《尚書》的大家。

民國以來，由於甲骨文、金文的發現，加上語法分析，許多難解的字，也都講通了。至於歷代《尚書》學的演變，也有相當好的研究成果。民國以來的《尚書》研究學者，當以顧頡剛、屈萬里、劉起舒、程元敏等人最有貢獻。顧、屈兩先生考辨《尚書》各篇的作成時代，並為《尚書》文本作新註。劉、程兩先生進一步為《尚書》各篇作疏證，並專研歷代《尚書》的研究史。如果要從四人中舉出研究成果最輝煌的，程元敏教授應當之無愧。他不僅長期在臺灣大學中文系講授《尚書》這一門課，還撰寫了眾多的專書和論文，每一種都有極為精闢的見解，甚獲學界佳評，對研究《尚書》的學者，有非常重大的影響。

一　程教授簡歷和著作

程元敏教授，安徽嘉山人，民國二十年五月出生。四十九年，考入臺灣大學中文系。五十三年，考入臺大中文研究所，畢業時以《王柏之詩經學》獲得碩士學位。五十六年，考入臺大中文博士班，當時是開辦的第一屆，同時入學的，還有曾永義和鄭良樹兩位先生；畢業時以《王柏之生平與學術》獲國家文學博士，隨即任教臺大中文系，主要教授的課程為「尚書」、「中國經學史」。其間曾於中興、淡江、東吳、清華、中山暨香港珠海諸大學兼任授課。自臺大退休後，又於世新大學中文研究所，開授「中國經學史專題討論」。

程教授的著作，除學位論文（均已出版）外，有專書《三經新義輯考彙評（一）──尚書》、《三經新義輯考彙評（二）──詩經》、《三經新義輯考彙評（三）──周禮》（臺北市：國立編譯館，民七十五年）、《春秋左氏經傳集解序疏證》（臺北市：臺灣學生書局，民八十年）、《三國蜀經學》（同上，民八十六年）、《書序通考》（同上，民八十八年）、《詩序新考》（臺北市：五南圖書公司，民九十四年）等，以及近百篇論文。

二　求學經過

程教授的家鄉安徽，是清代學風鼎盛的地區：文學方面，出現了以方苞、姚鼐為主的桐城文派，他們所提出的文章理論，長期支配清代文學發展的方向，影響直至民國初期，仍未衰退。經學方面，出現江永、戴震等出色的考據學家，形成了所謂的「皖派」，他們的研究著作為世人矚目，是清代主要的學術流派，與惠棟、王鳴盛等人的「吳派」，並稱為清代漢學的兩大支派。程教授的經學研究，與漢學家的學風極為接近，然而他所承受的教育，卻是臺灣大學來自各地的學者的教導。

程教授求學期間，任教於臺灣大學中文系的老師有張敬、李孝定、王叔岷、屈萬里、臺靜農、毛子水、戴君仁、鄭騫、馮承基等人，他們在各個學科方面，學有專精，對程教授有或多或少的影響，而且不僅是學問方面，在為人處世方面，也有許多的啟迪。

例如屈萬里先生，指導學生時，十分重視研究資料，要求務必儘量蒐羅完備，方可使所得結論，具有堅實而可靠的依據。程教授遵循師訓，撰作論文時，亦勤於尋查資料。據說，他曾於某年的端午節，為了找有關宋人的資料，獨自一人翻檢《永樂大典》，在百冊的叢書裡，逐頁的翻找，其時天氣悶熱，汗水涔涔，他卻絲毫不以為苦。這種鉅細靡遺的蒐羅資料，成為程教授一生努力不懈的治學方式。因此，只要仔細閱讀程教授發表的每一篇論著，都會令人感到驚訝，他所運用的資料，是那麼的豐富，一般人幾乎都難以尋得。

此外，屈先生講授《尚書》，在一年的課程內，盡可能將二十九篇教完，而且經文都會背誦（不止此經，《周易》、《詩經》等亦均能背誦）。程教授受其感召，在開「尚書」課時，亦自我要求背誦《尚書》全文，並盡力講完每篇經文。凡是上過程教授課的人，都知道課堂上他很少有題外話，為的就是想把所有的篇章在一年內教完。有時碰到國定假日太多，短少了授課的時數，程教授還會利用學期末，補幾堂課，以趕上進度。其他的課程，程教授也是抱持同樣的心態傳授。因此，上程教授的課，學生都能獲得最充實豐富的知識。

由於程教授長期教「尚書課」，本人又專精於《尚書》，因而學生私底下稱他為「程尚書」。程教授聽說之後，卻自謙說，他的先祖宋代的程大昌，不僅撰有《禹貢論》，又曾任吏部尚書，才是名符其實的「程尚書」。儘管如此，學生仍舊以「程尚書」相稱，以示對其學問的尊崇。

三　研究王莽〈大誥〉

程教授研究《尚書》，議題相當廣泛，有專家的探究，也有專書、專題的討治，其中不乏前人未曾注意的領域，縱使已有人論及的部分，他也能夠補充資料，提出不同的見解，糾正錯誤。

處處模仿周公的王莽，在立孺子劉嬰之後，逐漸展現其篡漢的野心。於是翟義扶持嚴鄉侯劉信為天子，號召人民討伐他，聚集了十餘萬的徒眾，聲勢相當浩大。王莽得知之後，大為恐懼，晝夜抱著孺子，告禱於郊廟，又仿效周公撰作的〈大誥〉，也寫了一篇長達一千一百四十六字的誥文，世稱〈莽誥〉。

這一篇誥文既是依循《尚書・大誥》而寫的，其中便有可供參考對讀的資料，然而歷來學者雖曾留意，卻未深入而全面的探討。程教授發覺其間的奧妙，特別撰寫了數篇的論文。

首先於民國七十一年九月，撰寫〈莽誥注釋〉，發表於《國語日報・古今文選》的新五百三十四期、五百三十五期，詳細的註解全文，並配上白話翻譯，向大眾介紹了這一篇極有價值的文獻。

接著於同年的十二月，發表〈莽誥大誥比辭義證〉，刊登於《國立編譯館館刊》第十一卷第二期，本文全錄〈莽誥〉，並與《尚書·大誥》相較，以見兩者的異同。文中除了援據經典、史書，逐字逐句的訓釋、考證，同時交待了其文著作時的背景。根據全面的校釋之後，程教授歸納了幾個重要的結論：

> 〈莽誥〉為記事體，今本《尚書·大誥篇》多誤字，〈莽誥〉多以訓詁字代經文，王莽擬〈誥〉所據《尚書》為今文《尚書》本，莽常矯經意以文其姦言。

同時程教授又撰〈莽誥商價〉一文，刊於《書目季刊》第十七卷第三期。此文依據前文考證比對所獲得的結果，探討〈莽誥〉的價值。程教授認為〈莽誥〉既然是根據今文《尚書》而擬撰，所以應該多用今文之說。〈莽誥〉每字每句模擬〈大誥〉，可視為古本，用來校讎《尚書》經文。以〈莽誥〉校勘今本〈大誥〉，發現今本經文頗有誤字、脫文、衍文。至於〈莽誥〉的大蔽，程教授指出有二項：

> 一是誤讀失擬，如〈大誥〉「爾時罔敢易法」，〈莽誥〉擬作「爾不得易定」，這是誤讀古字「法」為「定」；
> 二是矯飾經義，以文奸言，如〈大誥〉「予惟小子」，是周成王的自稱，「惟」乃句中的語氣詞，王莽擬為「我念孺子」，以「念」詁「惟」，則是自陳「念在孺子劉嬰」，其實是欺騙世人的話。

一篇並不起眼的文章，經由程教授全面的探究之後，解決了經學與史學上的不少問題，其卓越的識見和細緻的析理，令人敬服。

四　出版《三經新義》輯本、《書序通考》

程教授眾多經學著作中，專門研究《尚書》的有兩部，是《三經新義輯考彙評（一）——尚書》、《書序通考》。

宋人治經，自仁宗慶曆年以後，學者開始創立新說，不再墨守古義。開風氣之先，且影響公私兩方最大者，厥為王安石。王氏為了變革當時的科考內容，特意與其子王雱和弟子共同纂修了《尚書義》、《詩經義》、《周禮義》，合稱《三經新義》，以及《字說》等書，希望引導學人讀書的方向。可惜這些著作後來都佚失了，使得研究經學、思想史、宋史及王安石學術的人，因不獲其書，而難以深入探究。於是程教授發奮輯錄三書，試圖重現王氏的學術。《三經新義輯考彙評（一）——尚書》即為其中成果之一。此書遍檢宋、元、明、清及近人《尚書》學專著、史籍、筆記、詩文約五百種，一共輯得佚文五百五十八條，諸書所引凡一千零二十二條；評論得二百八十二條、眾家評語凡三百七十五條。在他綿密的蒐羅之下，是書的所有遺文及相關評語，幾乎已經齊備，鮮有遺漏了。

《尚書》在流傳的過程中，出現了解說各篇撰作之意的《書序》，前人對它的研究，甚少專著，縱有所說，亦多立論膚淺，不愜人意。於是程教授乃撰《書序通考》一書，其〈自序〉云：

> 今通考自先秦以迄晚近，經書子史文集、器物材料，……攸關《書序》者，無論專書、散篇，網羅殆盡。既解疏本經與序，又為序作通史。原原本本，是解經，亦是經學專史。其歷引諸家說，分別義類，畫分題旨，意在詳确，不避繁細。人有纖善，不敢攘也，邪說謬妄，亦不憚揭發。是是而非非，務期經序義明，求吾心安而已。

根據這段序文，可知撰作此書的主要宗旨，也可見程教授寫書的態度嚴謹且慎重。

《書序通考》自著手撰作至定稿，一共花費了四年的時間，全書總共三十五萬餘言，書中有立有破，釐清經學史上諸多的疑惑。此書於民國八十八年，獲得中山文化基金會學術著作獎。

從前文的介紹，可知程教授對於傳統文獻的掌握，遠遠超越一般學者，但是他對於新出土的地下文獻資料，也是非常留意的。當郭店、上博楚簡先後出版，轟動學界之際，程教授也找來閱讀，隨即寫下〈郭店上博楚簡緇衣引書考〉、〈禮記中庸坊記緇衣非出於子思子考〉等文。更在研讀楚簡《孔子詩論》之後，撰成十四多萬字的《詩序新考》一書。其運用資料，不分今古，一體重視，且時時注意各種有助於研究的任何材料，這種勤奮專注的精神，確實值得效法。

五　《尚書學史》即將問世

程教授將其生平所有的時間，幾乎都投入學術研究上，日常生活中，很少與外界應酬，每天除了到校上課以外，便是穿梭於各個圖書館與待在家中，查考資料，撰寫論文。因此，他的論著一篇篇、一部部的完成，從來不曾停歇。連自臺大退休之後，也沒有鬆懈研究工作，依舊勤於著述，較諸一般年輕學者，大有過之。除繼續發表單篇論文外，《書序通考》、《詩序新考》兩部專書也是在退休以後完成的。

此外，他對現有的《尚書》研究史的著作，不是很滿意，總覺得有許多錯誤要糾正。一位《尚書》研究者應該有責任撰寫一本令人滿意的《尚書》學史。一想起這份學術責任，即使已七十五高齡，仍舊每天一章一節，孜孜矻矻的撰寫他的《尚書學史》。這部可以藏之名山的大作，已全部完稿，字數高達百萬餘言，正由出版社排印校對中。他覺得原出版社所安排的校對人員不夠理想，要求他的高弟蔣秋華教授聘請校對高手，務必做到全書無一錯字。這種一絲不苟、認真負責的態度，是我們年輕人最該學習的地方。這部《尚書學史》出版之後，一定成為經學史研究的不朽之作。

程教授的經學研究是全方位的，並不僅限於《尚書》一經，他也研究《詩經》、《春秋左氏傳》和經學史，也有很高的成就。將來有機會再跟大家介紹。

文字學之巨擘

——許錟輝教授的學思歷程

葉純芳

北京大學歷史系中國古代史研究中心副教授

記得以前要報考中文研究所的學長姊，都會口耳相傳地到師大購買國文系學生整理的文字學筆記。所以，大二時，就知道許錟輝教授是非常有名的文字學老師。大四那年，許老師來到東吳大學專任，教授文字學、訓詁學，同學都高興極了！雖然老師上課很嚴肅，但教室總是座無虛席，除了本班同學，還有一大堆想報考研究所的校外同學旁聽。上課，永遠覺得時光飛逝，意猶未盡，這就是許錟輝老師的魅力。

一　來自蘇州的中學生

民國三十七年，許老師就讀蘇州翠英中學初中部二年級。由於政局緊張，便跟著父母來到臺灣基隆，並與父親一位學農的朋友聯繫上，隨即前往屏東。生活安定後，老師繼續課業的修習，以其優秀的英文程度，有機會跳級就讀屏東中學三年級，因大陸與臺灣幾何、代數的學程不同，只得就近於內埔中學讀書。雖然是鄉下學校，不過當時內埔中學的師資可說是臥虎藏龍，很多都擁有北京、清華大學的學歷。這些老師，跟著國民政府撤退來臺灣，暫時沒有工作，就在各地的中學教書，老師因此受到很好的中學教育。

民國三十九年，初中畢業，當時大部分從大陸來臺灣的家庭都面臨經濟上的問題，老師考慮到，如果就讀屏東中學高中部，對父母來說是一大負擔，於是和家人商議，由於在校成績優秀，選擇保送到有公費待遇的臺南師範學校。當時的國文老師梁彩先生，清華大學出身，深為許老師的選擇感到可惜，年輕的許老師還體貼地安慰道：「我對當老師有興趣。」師範畢業，回到屏東，教了三年的小學，接著又保送臺灣師範大學就讀。多年後在臺北與梁先生相遇，梁先生得知許老師已就讀師大，才學終不被埋沒，倍感欣慰。保送師大時，第一志願填了國文系，這個決定令老師的一位父執輩感到訝異。當時許老師也不過是聽當時總統蔣中正先生曾說：「國文第一，師範第一。」於是就對這位父執說：「總統都這麼說，我想國文一定很重要。加上讀中學時，不僅參加演講、作文比賽，並且常得到第一名，因此對國文不會排斥。」他點點頭說：「行行出狀元，讀什麼專業都沒關係，但是要在該領域找到自己的專精，並且要多用力在上面。」之後，老師面對學生，也是以這些話來勉勵他們。

二　大學時代的文字因緣

大學二年級，許老師在文字學第一堂課時，聽到授課老師高鴻縉先生對著同學說：「學文字學很有用，可以改正《康熙字典》的錯誤。」當時老師覺得編《康熙字典》的人都是進士，多麼有學問，居然學了文字學可以改正他們的錯誤，於是，對文字學產生了興趣。高先生留學哥倫比亞大學，講解文字學也常用英語辨明本義，生動有趣。到了四年級，林尹先生教授訓詁學，強調文字跟聲韻的關係，讓老師對文字學有了更深刻的認識。

雖然對文字學有興趣，但老師當初的生涯規劃其實是畢業後到美國留學，透過父親好友譚牧師的協助，申請到哈佛大學全額獎學金。根本沒打算要考國文研究所的老師，在快畢業時，被一位好友拉去報考研究所，僅以一個月的時間準備，便考取第一名。這個結果，打亂了老師原有的規劃。研究所所長林尹先生聽說老師要去留學，費了一個多小時，才說服老師決定留下來。

老師常跟學生說，生涯規畫是需要的，但世上很多事情不是自己想這麼做，就一定能夠順著自己的意。謀事在人，成事在天，冥冥之中自有安排。老師想起自己一個故事，當年申請師大，放榜之前，媽媽替他到廟裡求籤，籤詩上有一句「黃金變成鐵」，不知道是什麼意思。放榜時，榜單上找不到自己的名字，媽媽還替他難過了好幾天。後來，收到錄取通知，原來寫榜單的人將「錟」寫成「鐵」的簡字，變成了「許鉄輝」。我驚訝於籤詩的預言，老師則說沒辦法解釋這種冥冥之中的安排。所以失與得，在人生中確實是很微妙的關係。

三　影響至深的兩位老師

讀碩士時，老師遇到影響一生的兩位先生，一位是林尹先生，一位是魯實先先生。這是性格很不同的兩位先生。

說到與林尹先生的交往，老師的回憶裡充滿著興味，因為一直叫他「許炎輝」的林先生，是位大而化之，且有豪俠之氣的人。大三的《中庸》課程，由林先生八十歲父親林公損先生任教，不過因為溫州音很重，怕學生聽不懂，於是林先生坐在第一排充當翻譯。考試時，老師因誤看時間而錯過考試，硬著頭皮去見林先生，先生不僅非常爽快地讓他補考，原本說成績要打折的林先生，還是給了老師八十分，讓他不因此科的缺考，得不到獎學金。當時凡是資質好的學生，林先生都會收為門下，許老師的碩士、博士論文都是林先生指導完成的。

家中的經濟雖未見起見，所幸當時以第一名考取研究所，可以領獎學金。但林先生要他當助教，獎學金讓給其他學生。只不過，當助教得多讀一年。看著不服氣的老師，林先生什麼話也沒說，靜靜地將人事表放在桌上。老師考慮了許久，最後還是聽從林先生的話，填了表格。

擔任助教期間，有一次，老師負責研究所資格考試的監考，又因錯看考試時間而未到場，最後由所主任林尹先生親自監考。直到第二天看到林先生所留「明波、錟輝老弟，時已過十一時矣，未見二弟蹤影。」的字條，老師才發現闖了禍。此時先生打電話來：「看到紙條了嗎？」「看到了，……。」這種失誤，應該會受到嚴厲的斥責，但林先生沒說重話，將電話掛上。從此，任何考試，老師再也沒有遲到過。這段期間，老師跟著林先生學到許多待人處世的經驗，並認為能夠遇到一位隨機教育的老師，是人生中非常寶貴的經驗。

另一位深刻影響老師的是魯實先先生。五十歲出頭的魯先生，喜歡裝老，拄著拐杖，一副老氣橫秋的樣子，不過上課引經據典，令人耳目一新，且將新的研究方法引進師大。魯先生的課，老師連續聽了七年，包括甲骨文、鐘鼎文、高等散文選等等。老師憶起魯先生教散文很特別，說明主題、分析文章章法、結構，並將幾個特殊的字提出解釋，一篇文章就教完了。如果問先生某字的讀音、字義，即面露不悅之色地說：「你沒字典嗎？自己去查。」如果問章法，他則很詳細地解說，直到學生了解為止。因為他認為翻譯、字義，應該是學生基本準備的功課。魯先生不收女學生，也是當時各大學盛傳的怪事，因為他認為：「辛辛苦苦地教導，而女學生卻把這些學問都帶到廚房了！」

魯先生的課，幾乎場場爆滿，星期六開設四個小時的金文特別班，學生們都要搶位子才能聽到課。上課課本使用的是《三代吉金文存》，在當時的臺灣只有少數幾本，香港龍門書店印了八開本，要價八千元，那時候老師的月薪才二千元，因此大家都面有難色。魯先生為此向書局殺價，才讓這些窮學生有書好讀。魯先生還有個規矩，每到期末都要舉辦「公宴」，由學生們請先生吃飯，而且第一桌的貴賓由他開名單，像屈萬里先生等人都是座上嘉賓。並且指定一位同學，在開席時要講幾句讚揚先生的話，他就非常高興了。

民國六十六年，老太爺病重，魯先生一方面要照顧父親，一方面因為常常熬夜讀書，身體逐漸支撐不住。八月，學生們請魯先生吃飯，宴畢，先生獨留下許老師，談他的著作《轉注釋義》與《假借溯原》。魯先生是個很自負的人，平日總說：「如果我解字解錯，你們發現了，我給你叩三個頭。」但當天晚上，先生卻說：「下學年我開轉注特別班，你們跟我討論，如果指出錯誤之處，我可以修改。」並提議要許老師給先生所撰《轉注釋義》寫序。當晚，先生也不坐三輪車，和許老師從西門町一直走回師大，邊走邊聊。老師事後回憶那天的情況，感覺魯先生好像在吩咐後事一般。十二月十七日，魯先生就腦溢血去世了。

四　擔負文字學的教學重任

魯先生去世的那一年，開始積極寫《文字析義》，不管到那裡上課，都在提這本書的寫作進度。以往上文字學都是以「六書」為主，但那年的上學期還沒結束，六書就已上完，剩下的時間都在講授《文字析義》的內容，直到去世。

魯先生去世後，文字學的課該由誰來接手教，成了系主任的難題。這時有位師大畢業的女學生，拿了魯先生生前寫給她的一封信來到系上，信上說：「在我師大所有的學生裡面，許錟輝這個孩子我覺得很用功，我打算將來把文字學的課交給他。」就這樣，老師擔負起魯先生的遺願，開始教授文字學，直到今天。

先生的這個遺願雖然替系上解決了難題，對許老師來說卻是壓力很大的重任。在平日與魯先生的交談中，老師隱約覺得先生對文字學的理論有些改變，因此在第一堂上課便要學生將筆記交來，整理一過，發現魯先生推翻了自己以前的一些說法，例如，象形有變體象形，指事有變體指事，會意有變體會意，但形聲沒有變體形聲一類。後來在《文字析義》手稿中，果然發現列有「變體形聲」，印證了老師的疑惑。

魯先生去世十五週年，老師已從師大來到東吳任教。為感念先生，辦了一場紀念研討會，並邀請大陸學者裘錫圭、胡厚宣，以及魯先生的公子魯傳先先生與會。當時老師有二個想法，一是魯老師在大陸的研究重點在曆法方面，當初從大陸匆忙逃到香港，應該有許多筆記本或著作留在家鄉，也許可以經由公子帶過來，由學生們替先生出版；二是魯先生的遺稿《文字析義》，先生過世後，被扣留在兩個堂弟手中，堅持要魯傳先先生來臺，才肯交出來。為了不讓先生的遺著亡佚散落，老師特別跑到湖南長沙，找到先生的公子，請他來臺灣。

其中歷經艱辛，最後終於成行。拿到《文字析義》後，避免橫生枝節，當天除了影印兩份原稿外，並與黎明出版公司簽約。後來黎明公司竟以「市場考量」為由，直到如今都還未出版，老師為此事，深感愧對恩師魯先生。

五　對文字學人才培育的想法

許老師認為，兩岸的文字學研究，若以個別研究成果來說，臺灣於大陸絲毫不遜色，但以工作量來說，臺灣的大學老師任課時數過多，專心做研究的時間相對減少，是值得憂心的事。

為了培育文字學人才，在民國七十九年，文字學會進行改組、推選當時臺灣師大國文系主任王熙元先生擔任文字學會會長後，老師毛遂自薦，擔任秘書長，並訂出一些原則：（1）將研究風氣帶進校園；（2）平衡南北東西的學術；（3）打破門戶之見，這些原則直到現在都持續地實行。例如由全國各所大學輪流舉辦的文字學研討會，目前已舉辦了二十屆。去年北京首都師範大學的馮蒸教授來臺灣，對這些成果很有興趣，希望能把二十屆所有的目錄與論文提要，在大陸刊登介紹。

同時，文字學會比照訓詁學會的做法，會後編有《文字論叢》，在研討會發表的文章都會重新送審，嚴格把關。今後繼續朝著這個方向前進，希望藉此讓國科會等機構，能夠重視研討會論文集的學術價值。此外，對青年人才的栽培也不遺餘力，目前設置的「青年人才獎」，條件是四十歲以內，副教授以下，且為文字學會會員。以該屆發表論文的內容及現場的臨場表現為審查標準，由理事長私下聘任評審委員，推選優秀人才。老師認為要有整套的培育制度，由政府來持續執行，才能效果彰顯。如果政府不主動，不給經費，即使大家有心，也難有成果。學校方面，老師認為每個系都希望栽培人才，但受到實際條件的限制，像政大中文系有暢通的管道，學生畢業之後在外磨鍊幾年，再回到母校服務，人才培植才有意義。否則，努力栽培，最後卻楚材晉用，是誰也不樂見的。

將來文字學的研究方向，老師認為跨領域的統合研究，是未來的趨勢。因為文字學只是研究工具，若不朝文化面落實，不僅沒有根，也無法維持長久。

六　未來的學術規劃

許老師未來有幾項出書計畫，一是將碩士論文《說文重文諧聲考》與教授升等論文《說文重文形體考》相結合，並補充出土資料，重新出版；二是完成《文字學簡編》的「進階篇」。此外，老師還計畫與蔡信發教授合作，撰寫一部文字學理論方面的書。魯先生的「造字假借」與「四體六法」的觀念，目前學界還爭論不休，文字學會也針對此問題開了幾次研討會。畢竟戴震、段玉裁四體二用的觀念言之有年，推廣較普及深入，要改變過來，不是容易的事。老師強調不是要推翻他們的理論，只是造字假借部分要再加強說明，目前一直朝這個方向撰寫相關論文。至於歷年來的舊稿、演講稿、期刊發表的文章，也打算結集出版。

胡楚生教授與清代學術史研究

楊菁
彰化師範大學國文學系副教授

二〇〇六年四月，筆者有機會對胡楚生教授的學思歷程進行訪談，並將整理的文字稿中，關於胡教授與清代學術史研究的部分，節成此篇文字，裨於對清代學術研究有興趣的學子，找到一循序而進的方向。

胡教授於民國二十五年生於貴州省黎平縣，東吳大學文學學士、臺灣師範大學文學碩士、南洋大學文學博士。曾擔任南洋大學中文系講師、助理教授、英制講師以及中興大學教授、中興大學中文系主任、中興大學文學院院長、東吳大學中文系客座教授，現為明道管理學院中文系講座教授。

胡教授早年在東吳大學中文系、臺灣師範大學國文研究所及南洋大學博士班就學時，受教於林尹、閔孝吉、熊公哲、屈萬里、楊家駱、李孝定、王叔岷等師長，奠立紮實的學問基礎，加上他個人喜歡看書，自大學時代便常在重慶南路的書店及中央圖書館特藏室瀏覽群書，因此養成泛觀博覽的習慣，並在日後的學術研究生涯中，因為興趣及教學之故，無形中開拓了較寬廣的學術研究領域。

胡教授的學術研究，約可分為以下幾個重點：

一、訓詁學、目錄學、校勘學：這是偏重研究學問的基礎工具學科，著作包括：《釋名考》、《訓詁學大綱》、《潛夫論集釋》、《中國目錄學研究》、《中國目錄學》、《圖書文獻學論集》等。其中《訓詁學大綱》是在兩岸尚未開放時，利用在南洋大學之便，採用了臺灣和大陸的資料所寫成的引導學生入門的教本。目錄學方面的論文，主要是探討古代重要目錄學家的見解，如劉向、劉歆父子，班固、鄭樵、章學誠，一直到胡玉縉、余嘉錫這些人的觀點。《潛夫論集釋》的寫作方式是仿照王叔岷老師的《莊子校詮》，由胡教授的博士論文《潛夫論校釋》改寫而成。

二、韓柳文：這方面的著作有《韓柳文新探》、《古文正聲》，另編有《韓文選析》和《柳文選析》。《韓柳文新探》一書收有二十二篇論文，除了從文章賞析的角度探討韓柳文外，還有思想方面的探討，如〈韓愈「原人」與張載「西銘」〉，是探討韓愈的思想對宋明理學的影響。〈柳宗元「論語辨」疏義〉，是探討柳宗元如何藉著《論語》的討論，把自己的身影投射在孔子身上，文中有提出一些新的見解。

三、老莊思想：主要有《老莊研究》一書，書中收有二十八篇小文章，前半以《老子》為主，後半以《莊子》為主，裡面探討的包括老子的「道論」、莊子的「齊物觀」、「蝴蝶夢」、「濠梁之辯」、「壺子四示」等，以及王船山對《老子》的批評，嚴復評點《老子》、《莊子》的意見等。

四、經學研究：這方面著有《經學研究論集》，收有二十二篇論文，前幾篇是個別地討論一些經學上的問題，其中一篇〈五經要義約論〉，是對五經作一綜合性的探索，基本上是以《史記》司馬遷的記事觀點，採取比較接近今文經學的立場，以司馬遷對於六經的關係作一基礎，探索五經之間相互的關聯性，同時也把孔子和六經的關係作一釐定、闡發。這篇文章可說是較全面且系統性地對於經學的闡釋。

胡教授的研究重點，除了以上所介紹的四部分外，還有一重要的研究領域，即本文所要介紹的清代學術史的研究。胡教授對於清代學術史的研究興趣，乃源於一九五七年就讀東吳大學中文系一年級時，講授文字學的林尹教授，指定閱讀段玉裁的《說文解字注》，這是他接觸清儒學術著作的開始。接著，又受到梁任公和錢賓四先生的影響，梁先生的《國學入門書三種》，對於國學源流的介紹，以及錢賓四先生《學籥》指引的讀書方法，都是影響胡教授進入學術研究之門的重要鎖鑰。其後，又閱讀梁先生的《清代學術概論》、《中國近三百年學術史》、《中國歷史研究法》、《先秦政治思想史》，錢先生的《國史大綱》、《中國近三百年學術史》，這些著作對於胡教授的清代學術研究，提供了重要的指引線索。所以胡教授對於清代學術的研究，基本上是由梁任公和錢賓四的著作引發出來的興趣，所用的研究方法，也是跟隨梁任公和錢賓四比較傳統的方法；但梁先生、錢先生二人的著作較多屬於面的部分，胡教授則在他們兩人《中國近三百年學術史》的基礎上，作了一些重點問題的探討和補充。

胡教授自一九八八年二月，由臺灣學生書局出版了《清代學術史研究》；一九九四年十二月，又出版《清代學術史研究續編》，兩書一共收集了三十三篇論文。這三十三篇論文，就學術內容分析，有以下主題：

一、經世思想：探討晚明清初的學者所提出的經邦濟世的思想，以挽救文化的沈淪，這方面的論文包括有：〈黃梨洲與呂晚邨——比論黃呂二人之政治思想〉、〈黃梨洲論奄宦之禍〉、〈顧亭林對於清代學術之影響〉、〈王船山「老莊申韓論」發微〉、〈呂晚邨「四書講義」闡微〉、〈唐甄「潛書」中之政理〉、〈邵念魯「學校論」析義〉七篇論文。

二、夷夏之辨：晚明清初的學者，面臨清廷統治，在其著作中，隱約宛轉地表現出夷夏之辨、種族之異的精神，冀以喚醒民眾，復興故國。這方面的論文包括有：〈船山史論中之民族思想〉、〈「呂留良四書講義」與「駁呂留良四書講義」〉、〈清初諸儒論「管仲不死糾」申義〉三篇。

三、樸學考據：為清代乾嘉時期，樸學鼎盛，樸學家及其研究方法的探討，這方面的論文包括：〈高郵王氏父子校釋古籍之方法與成就〉、〈段玉裁與王念孫之交誼及論學〉、〈俞樾「群經平議」中之解經方法〉。

四、六經皆史：章學誠提出「六經皆史」之說，建立其對中國學術發展的特有觀點，〈章實齋「六經皆史說」闡義〉一文即是對此觀點的探討。

五、漢宋之爭：清乾嘉時期，樸學盛行時，對宋明理學多有批評，然持宋學之論者，對漢學流弊，亦提出反駁意見，於是形成漢宋之爭，討論的論文包括：〈章太炎「釋戴篇」申論〉、〈許宗彥論清代漢學流弊〉、〈方東樹「漢學商兌」書后——試論「訓詁明而義理明」之問題〉、〈方東樹「辨道論」探析〉。

六、調和漢宋：清道咸以後，學者以為漢宋學術可以兼容並蓄，會通調和，屬於這一主題的論文有：〈經生與烈士——試論陳蘭甫與朱鼎甫之為學路向〉、〈陳澧治經方向與顧亭林之關係——兼論顧氏「經學即理學」之意義〉、〈陳蘭甫「漢儒通義」述評〉、〈陳蘭甫「東塾雜俎」書后〉、〈曾國藩「聖哲畫像記」析論〉。

七、變法圖存：清代咸豐同治以下，外侮漸至，學者有強調變法圖存之義者，衍為學說，以救危亡，有：〈劉逢祿「論語述何」析評〉、〈皮錫瑞「南學會講義」探析〉、〈康有為「長興學記」與葉德輝「長興學記駁議」〉、〈康有為「論語注」中之進化思想〉討論之。

八、革命排滿：清代末葉，民怨沸騰，革命排滿之論，蜂午並起，劉師培《攘書》，在當時雖廣為流傳，後世則淹沒不聞，故撰〈劉師培「攘書」探究〉以表其義。

以上八個主題，對於清代學術史上的重要問題皆有涉及，可見胡教授對於清代學術史研究論題的掌握之周詳。此外，胡教授也曾對清代學術史尚值得注意及努力的研究方向，提出了他個人的一些看法：

第一、漢學家的漢學研究。唐鑑的《清儒學案小識》，敘述了陸稼書、顧亭林以下等二百五十位學者的生平與學術；江藩的《漢學師承記》，收錄了閻若璩、胡渭以下四十位主要學者，並附列次要學者十六人；徐世昌主纂的《清儒學案》，列入正案的學者有一百七十九位，列入附案的學者有九百二十二人，列入諸儒學案的學者有六十八人，共一千一百六十九人。以上所述的清儒中，至今尚未被研究過的仍有很多，所以還有許多學者的思想、學術特色及在學術史上的地位可以研究。

第二、清代宋學的研究。一般我們在思想史上講宋明理學，往往到劉宗周就結束了，但是清代仍然有理學家，如徐世昌主編的《清儒學案》，其中就有很多是理學家；又江藩除了著有《漢學師承記》，另有《宋學淵源記》一書，足見在清代學術史中，宋明理學雖然不是主流，但仍是一條不可忽略的伏流，如清初的孫奇逢、李二曲、陸稼書、陸世儀、張履祥、江永、朱次琦、羅澤南、李光地、熊賜履、張伯行，這些都是很重要的理學家，再之後的唐鑑、方東樹，甚至於後來集大成的曾國藩，關於他們的理學思想和傳統宋明理學的傳承、發展，以及有無推陳出新的意見等，都是值得探究的。

第三、西學傳入與傳統學術發展的關係。明清之際，許多西方傳教士東來，他們所帶來的學術觀點、學術方法，對於清代學術，是否產生新的啟發，亦值得再作探究。

第四、宏觀地探討各種問題。梁任公先生在〈中國學術思想變遷之大勢〉一文中論及清代學術，說：「此二百餘年間總可命為中國之文藝復興時代。」又說：「有清二百年之學術，實取前此二千餘年之學術，倒捲而繅演之。」又說：「有清學者，以實事求是為學鵠，饒有科學的精神。」稍後，胡適之先生也有類似的說法。自是以後，學者們對於清代學術的基本性格，清代學術的產生緣由，清代學術的價值定位，清代學術的利病得失等，往往都採取宏觀的角度去作詮解。故清代學術的發展不僅限於考據學，包括理學、史學、常州今文經學等，都可以再作全盤式地理解。民國以來的學術研究，包括人文學的研究，都已經和國際的人文學研究接軌，有人認為這些都是承自清儒的乾嘉考據學。所以對於清代學術的發展或是乾嘉考據學，無論是正面或負面的評價，都可以再作全面性的考察和檢討。例如，徐復觀先生的〈清代漢學衡論〉，提出了對乾嘉學術的批評觀點；而余英時先生的〈清代學術思想史的一個新解釋〉，從內在理路的發展，去解釋清代考據學產生的原因，則是持較正面肯定的看法。我們還可以在徐復觀、余英時二位先生的基礎上繼續探索，甚至對他們的觀點作出檢討，對於清代學術作全面地反省，並給予公平的評價。

以上胡教授所提的四點建言，對於有心從事清代學術研究的人來說，指出了明確的研究方向。胡教授自十多年前開始，研究方向偏向於經學研究，其中，也探討與清代經學有關的論題，如〈晚清知識份子變法圖強之改革規畫——以孫詒讓《周禮政要》為例〉、〈試論《春秋》「獲麟」之文化史義涵——以俞樾之說為探索中心〉、〈邵懿辰「論禮運首段有錯簡」說駁議〉、〈皮錫瑞《春秋通論》析評〉、〈章學誠《校讎通義》與鄭樵《校讎略》之關係〉、〈清代考據學興起原因的再檢討〉及〈錢賓四先生對「清儒學業」之新構想〉等，可見，胡教授對清代學術研究的關注，一直不曾稍減。胡教授以其古稀之年，尚自我期許在未來的經學研究領域能探討得更深一點，其對於學術研究的執著與努力，實為我們這些後生晚輩效法學習的典範。

後記：本文另參考胡楚生教授所著〈清代學術史之研究與省思〉（收於《圖書文獻學論集》，臺北市：臺灣學生書局，2002年4月）一文。

李威熊教授與經學史研究

楊　菁
彰化師範大學國文學系副教授
劉子維
政治大學中國文學系碩士

李威熊教授於一九四一年生於南投縣，畢業於國立政治大學中文研究所．國家文學博士，曾任靜宜文理學院中文系副教授兼主任、國立政治大學中文系教授兼主任、國立彰化師範大學國文系教授兼主任等，現為逢甲大學中文系教授兼人文社會學院院長。李老師學思廣博，主要研究重點在於經學領域，也是國內經學、史學研究的重要學者。本文乃是二〇〇六年七月，筆者對李師進行訪談，並摘錄其學習經學之歷程及其對經學史研究所提出的看法，以饗宴讀者。

李師就讀政治大學中文系時，在熊公哲老師教導下，每學期須以文言文寫成四十篇文章，且背誦桐城派古文及《古文觀止》，對於梁啟超《飲冰室文集》亦有所涉獵，以開拓思想視野。他在熊老師傳統古文薰陶之下，養成一個大學生必備的學術素養。到了研究所，正式確立了邁向學術之路：李師的碩士論文是由高明老師指導，博士論文則是高明、熊公哲兩位老師共同指導。高老師要求學生從《四庫全書總目》讀起，至下學期，再從《總目》中發現自己感興趣的問題，分別由指導教授依學生選定領域指定一研究題目。

李師決定作經學研究後，閱讀書目亦配合所裡的作業；當時在碩士班得點讀八本古書，包括經書的大部分，博士班則須讀畢《十三經注疏》，老師也要求學生每天作讀書札記，藉由基礎的經典閱讀紮下研究基礎。熊老師並且告訴學生，只是點讀過經書，印象依然粗淺，至少應把經書的本文全部抄寫一遍，那時熊老師一有空就拿毛筆抄群經，《十三經》至少抄了十幾遍，也因此樹立了示範作用。李師受其影響，也作成了重點式的札記，到現在仍保有經、史、子、集及現代文學的札記。

李師平常讀書時，即養成作資料卡的習慣，他覺得這種謄錄資料的方法有不少好處：在抄寫過程中，本來不懂的部分，後來也讀通了；在抄寫卡片時，也常會有新的見解迸發。李師的研究方法乃是乾嘉的考據系統，研究經學，也是從小學、訓詁這個角度入手，也因為有這樣的基礎，所以在作經學研究時，也比較能掌握要領。

從事經學研究，李師認為首先得掌握群經大義，並以為從事各經研究，如果沒有其他經的基礎，研究總不易真正深入。如何才能把經學史學得紮實呢？李師認為目錄學很重要，他以自己在碩士班就讀時為例，由《四庫全書總目》與《經義考》的線索出發，再參考早期馬宗霍、皮錫瑞、日人本田成之等人的經學史著作，加以激盪、融會貫通，再組織及重點歸納成經學史的架構。此外，他認為研究經學史時，若僅就外圍資料入手，實難以對各經有深刻體會，所以他在從事經學研究時，首先從目錄資料去看整體的經學發展，其次再對各經有相當的了解，如此一來，經學研究才比較完整。

李師認為一位傑出的研究者應把握兩方面：一是對於大家都能看到的資料可以很熟，並從中有新的創見，或者發現被以前學者所忽略的重要論題。二是新資料的掌握，他在處理《中國經學發展史論》上冊時，就花了很多時間處理新出土的經學資料，包括漢簡、馬王堆、帛書等，卻礙於當時民國七十幾年很多大陸的資料還無法掌握。到了下冊寫就之際，大陸資料已經開放，新的著作與新的出土文獻也愈來愈多；因為對於新出土文獻的掌握尚不足，也就相對影響了下冊的付梓。

在李師看來，經學史是處理客觀的、真實的資料，以合乎時代的狀況作一真實的呈現，但是假使僅止於此，便不能給讀者一個挑戰，所以他撰寫經學史，是用「論」的方式，希望提出一些看法，並有待讀者證成。他提到有一次請朱維錚教授演講經學史，朱教授說：其實經學是結合政治、社會的，所以孔子講「身通」，漢朝講「通經致用」，經學和社會結合就變成「術」，所以經學不只包括各經大義的內容，也包括了群經學說落實到社會後，如何和政治結合的「術」，亦即經學應包含經學的內容及通經致用的方法，這樣來說，觀念就很清楚了。例如《春秋》決獄、〈禹貢〉治河，是屬於經學的經世部分，這部分又因每一朝代的政治發展及社會需要不同而有所差異，如唐代修《五經正義》，就是為了作為當時國家思想的指導，便是經學精神的落實，亦是經術運用。

李師在即將出版的《中國經學發展史論》下冊中，希望透過資料整理，提供一些看法；他舉元代的經學為例：一般的經學史著作大多認為元代是經學衰微的時代，然而李師在處理元代經學的過程中，深感到儘管元代國祚只有八十幾年，其實經學並不衰，因為元兵滅宋時，其中有一個任務——到南方尋找儒學及經學的重要學者，請他們成立太極書院，因為元朝要統治中原，便需要了解中原文化，畢竟治國需要以「道統」作為「治統」的思想依據。

另外，很多人說元代經學只是朱學的延續，事實也不然，因為經學的發展，包括「經」和「術」；元代以後，社會環境不一樣，從各經及《四書》的發展來看，在朱學的基礎下，多少都會有一些補充，或者有一些適合當時社會需要的看法在其中，這樣才有當代特色。所以包括明代，也不一定會比元代或宋代差。例如在王陽明《傳習錄》中，徐愛問王陽明：朱熹將《大學》的「親民」改為「新民」，妥當嗎？王陽明答曰：當然是《大學古本》的「親民」比「新民」好。因為陽明主張良知說，認為一個社會要風俗善良，就得從每個人的內心出發，所以陽明主張只要良知能夠展現，天下便一家親；而「親民」的解釋，就是從自我的良知和人際關係，及與人群的結合來看，由自我出發而可以與眾人感通，這便是親民。

而朱熹的「新民」，是以一個指導者的立場，要透過新民改善社會，在此角度下，自己是比眾人高一層的。而朱熹處於南宋社會，假使沒有這般抱負來改革社會，便顯得不夠積極；而王陽明處於明代中葉，他認為只要人人的良知展現，由自我做起，便是親民。因為時代環境不同，所以對經義的詮釋亦有所不同，要如何評斷是非對錯？

又，針對經義解釋上：一般來說，元代是闡發朱熹學說，朱熹又是闡發孔孟學說，一談到經書的「述」或「作」的問題，一般都會強調「作」比「述」好，但事實又不然。如果我們承認群經是昔聖先王的智慧與經驗的結晶，那麼還需去「作」嗎？孔子就是體會到昔聖先王的智慧所在，所以說「述而不作」。人的價值觀其實是平凡中的平易，如果覺得古人很好，就去模仿，在模仿學習的過程中，慢慢就會有不同的心得與看法出現，所以如果朱熹真的是闡發孔孟，那麼元代的學者走朱學的路，又有何不妥呢──由以上種種思辯，足見李師在

《中國經學發展史論》下冊中，所提出新看法的透闢功力。

李師強調經學是傳統文化的根源，又是早期統治者及先聖先賢解決其時社會問題時，所留下來的智慧結晶，其目的也是在建立每個人正確的人生觀及價值觀。所以，面對社會問題如何解決的課題，即是牽涉到人的價值觀如何落實？以及如何以這樣的價值觀來建立正常的社會？李師說：在讀了經學以後，感觸最深的是做人的基本原則和態度，同時也深悟到學術界固然需要蓬勃多元的發展，但是多元決不是沒有共同價值，隨心所欲地作事，這樣的多元將使社會更混亂。他認為擁有經學的人生價值觀，可以讓人知道怎樣真真正正地做人，共同的理想不能多元，但如何實現人生理想價值的方法卻可以多元呈現。而且要對經學及傳統學術有很正確的看法，那麼不管從事文學或思想研究，便不致偏頗。例如講魏晉玄學，怎麼看玄學都是以經學為基礎，比如三玄，《周易》為經，《老子》、《莊子》為其傳；而玄學所要訴求的人生，一是希望活出真正的自我，二是要有群體的價值，不正是儒家講的內聖外王嗎？每個人要有人格價值、要有人的品味；要有自我，還要有團體的價值觀——要之，魏晉玄學皆是講「我輩」思想，側重的是群體的價值和個人的價值，要人活得人格高尚，還要游於藝，有文學藝術的素養；這是人生的教育學，也是正確的人生態度，在這種理念下，各行各業都有人才，同時個人的價值觀才不至於有所偏離。

「希望更多學者一起參與努力」是李師對於未來經學研究的期許，由於經學是兩千多年以來的學術主流，此中也產生這麼多的著作，需要一一去檢查長久以來被忽略的重要著作。以此為目標，首先需要作經學文獻的整理工作，對歷代有關經學研究的文獻及著作、新出土的文獻等，作基礎的目錄工作。目錄工作完成一段落，接著需要有人為這些目錄作提要，這樣一來，對往後欲掌握資料的研究者而言，便非常方便。唯有透過分工合作，才能達到目的。此外，需要有人根據這些目錄資料，作完整、詳細，且具有觀點的經學發展史，這可能需要透過團隊的努力，這部分大陸雖然已經在進行，但要真正從經學的資料看經學，還有很大的發展空間。同時，各經的發展史也值得注意，這些大陸的學者雖然也有作品，但是對於各經大義的介紹、每一階段經學與經術的發展等，尚仍不足。

最後，必須不忘經學是切合實際需要的基本精神，因此每個時代的經學和政治社會的結合，以及經學如何落實到現代生活的問題，諸如經學如何與法治、民主、科技發展結合？經學可以解決人生哪些問題？甚至經學談到生命教育的哪些問題？又如何將群經大義，落實成為具體制度——都可以作為經學研究領域未來繼續開發的問題。又如歷朝歷代的道教、佛教等宗教團體，或民間社團活動所推廣的民間經學，以大眾化的方式宣講經書，使一般人得以建立正確的人生價值觀，這些民間經學之發展概況也值得後學再探究。

稟承孔孟老莊之遺風，融貫儒道法家於當世

——專訪哲學界巨擘王邦雄教授

彭莉婷
淡江大學中國文學系碩士生

一　小傳

王邦雄教授（1941～），臺灣雲林縣西螺人，民國三十年生。研究專長為老莊哲學、法家哲學、儒家哲學。王教授畢業於臺南師範學校普師科，為國立師範大學國文系學士、文化大學哲學研究所碩士、文化大學三民主義研究所博士。曾任教於雲林縣義賢國小二年、雲林縣立西螺國民中學二年、臺北市立第一女子高級中學四年。民國六十四年（1975）六月獲國家文學博士學位，七月鵝湖雜誌創刊，第二年起擔任鵝湖月刊雜誌社社長達十年之久。曾任文化、淡江、中央等校教授與中央大學哲研所所長。

民國六十三至七十二年任教文化大學，民國七十二至七十五年於淡江大學服務，民國七十五年至九十二年（共17年）任中央大學哲研所教授及創所所長，民國八十四至八十八年借調至臺北大學籌備處，借調期間仍回中央大學授課。九十二年自中央大學退休後，至淡江大學任教。民國一〇〇年於淡江大學退休，現為淡江大學榮譽教授，共於杏壇服務四十餘年。王教授以傳承歷史文化為己任，在大專院校講課之餘，亦走入各個民間講堂解經論道，闡發老莊道家之智慧。著作極為豐富，如《老子十二講》、《莊子道》、《韓非子的哲學》、《中國哲學論集》、《儒道之間》、《生命的實現與心靈的應用》、《老子道德經的現代解讀》、《莊子內七篇・外秋水・雜天下的現代解讀》等。

二　獨學而無友，則孤陋而寡聞——泛談王教授的恩師及鵝湖知交

（一）王教授的恩師

王教授的恩師為張起鈞、吳經熊、謝幼偉……等名教授。張起鈞是王教授走上哲學路的啟蒙老師，謝幼偉、吳經熊則是博士班老師。王教授的博士論文由三位老師掛名指導，張、吳兩位甚至把王教授當成自己孩子般的疼愛。

引導王教授一生學思方向的學者則是唐君毅、牟宗三、徐復觀三位新儒學大師。在王教授眼裡，唐先生是位「仁者」，牟先生為「智者」，徐先生則是「勇者」，分別影響王教授在文化關懷、哲學進路及道德勇氣的生命理想。

王教授大量閱讀三位先生的著作。唐先生是王教授的博士論文

口考委員，也很支持《鵝湖》的刊行。牟宗三先生亦十分支持《鵝湖》，是影響王教授最多的前輩學者，兩人皆定居於永和，常在一起聊天談心，情深似父子、家人一般。有一回王教授在電視裡講「命」，第二天上午馬上接到牟先生要到家裡的電話，王教授嚇壞了，以為牟先生要來罵人，責難自己怎可上電視裡談「命」的問題。不意牟先生十點左右到了王教授家後，對王教授大為讚賞，亦稱讚王教授在《鵝湖》所寫的社論。徐復觀先生對王教授的文采與氣勢也給予極高的肯定。

（二）王教授的鵝湖知交

欲知王教授學術路上相互提攜、切磋的摯友，則定要談到《鵝湖》的創立歷程。一九七五年六月，王教授通過教育部博士論文口考，獲頒國家文學博士學位。七月，便與一群以復興文化為己任的豪雋之士，共創學術文化期刊──《鵝湖月刊》。當時臺灣尚籠罩於媚諛外國、崇尚西方的氣氛下，眾人視傳統文化為畏途，因不認同自家文化而缺乏自信，就像失根的蘭花。這時《鵝湖》肩負理想使命、挺身而出，抱著隨時可能停刊的危機，堅決保衛歷史文化。

《鵝湖》創刊的成員多為輔仁大學哲學系及臺灣師範大學國文系的大學生與研究生，如：廖鍾慶、曾昭旭、岑溢成、楊祖漢、萬金川、林鎮國、潘柏世、沈清松、袁保新、蔡錚雲等人。袁保新教授當時就讀碩士一年級，岑溢成、楊祖漢教授大學畢業，只有王邦雄教授已獲得博士學位。《鵝湖》第一任社長為袁保新先生，後因袁成家及論文壓力，便改由王邦雄教授接任社長職務。王教授於《鵝湖》第三期開始撰寫社論，一寫即是十年。創刊維艱，靠友人與學生支持，才有了經濟後盾。如王教授在文化大學擔任導師的班級，全班學生皆感服王教授等人的鴻鵠壯志，故主動訂閱《鵝湖月刊》。當時創刊成員除了寫文章至《鵝湖》發表外，每週皆舉辦讀書會，相互討論研究心得，定期聚會的場所即是王邦雄教授位於永和的家。

《論語》有云：「學而時習之，不亦樂乎？」學術為其一生的志業，王教授認為鵝湖最大的好處就是有一群人熱愛學術的人一起做學問，共同成長、提攜、砥礪彼此，因此王教授曾前後推薦曾昭旭、袁保新、岑溢成、楊祖漢、萬金川等教授進入中央大學任教。後來在《鵝湖》成長的後進，如王財貴、高柏園、蕭振邦、顏國明、林安梧、陳德和、林日盛、陳章錫等人，如今亦成為各校文哲科系的主力教授，繼續將《鵝湖》的精神傳承下去。

三　中學爲體，中學爲用——王教授之學術觀

王教授總笑說自己是「西螺七崁」，少年時滿懷英雄氣。王教授出生於日據時代，也經歷過二二八事件，十分支持民主運動，博士論文主題為言詞銳利的韓非子。王教授認為自己的生命底蘊近似韓非，間有墨家俠客的氣質個性，故政治言論激烈。藉由閱讀諸子百家之說，王教授獲得不少生命體悟。「儒家」給王教授正面的理想抱負及強烈的使命感；「道家」化解了直衝而出的英雄氣，及過於理想的缺失，演講或講課時王教授會開自己玩笑，把自己解消；「墨家」則是給予王教授「重視友朋道義」的師友情誼；「韓非」的犀利使王教授的論述用詞更加準確、縝密。

從「中學為體」到「中學為用」的道路，不一定要全盤西化，若是全盤西化，反而逼出在學習西洋裡面反西洋的困境，會讓自己感情與理性拉扯決裂。孔孟代表的是道德心靈，老莊是美感心靈，荀韓則開出知識的心靈。所以現代化的詮釋必須先從孔孟講起，再談到老莊，最後理解荀韓的理念。

儒家能立人倫之大本，開人文之全局。但若只是閱讀孔孟之學，會出現使命感過強、理想性太重、過於獨斷的弊端，認為自己永遠是對的，這種觀點是違反現代化的。道家才會尊重每個人，老莊認為我不一定對，但別人也不一定錯。萬物盡然而以是相蘊、相尊，互相蘊含而照顯對方，共成人間的美好。《莊子》分內篇、外篇、雜篇。「道在生命之內」歸於內篇；「道在生命之外」的篇章集結於外篇；「對道有體會散落在各個段落，而無法統貫」的文字列於雜篇。道家的道就在既「無」又「有」的「玄」，「無」代表放下一切之義，即是給自己「閒情」、「空間」，如同庖丁解牛中的「餘地」。做學問不是只有用功、苦讀，要給自己適當的休閒、運動，美感、創見就是從「無」生出。王邦雄教授平日喜歡喝茶、打網球，從十五歲當網球校隊以來，到現在仍維持運動的好習慣。家中還有淡江大學退休教授王仁鈞揮毫的墨寶掛於牆上，寫了「茶癡」二字。喝茶、打球看似沒事做，其實就是給自己空間，把一切放下，「有」就在「無」裡面顯現。「中學為用」是教養教化、人格成長，不能靠外來宗教來教養教化我們的新生代，只能倚靠傳統的儒道思想。

最後，現代化的關鍵就是「知識的心靈」，可從荀韓這邊開發。以荀韓的認知心來消化現代化的民主與科學。荀韓皆受老莊影響，認知心由老莊虛靜心延伸而來。由於荀韓認為人性本惡，才需要外在體制、法令的規範。「體制」、「制度」是現代化重點的元素。孔孟道德心靈、老莊美感心靈若不走向荀韓，所謂中國特色反而變成拖延現代化的腳步。若是「西學為體，西學為用」，群眾會產生自卑感以及民族自尊心的對抗、感情與理性的劇烈拉扯。一邊西化，一邊反西化，便開始質疑自己，有權力也會在權力中恐慌。所以我們必須從自己的文化去開發現代化的架構。在傳統裡找出路，才能走出民族自卑感，公平對待傳統，打開一條自我轉化、返本開新的道路。唐牟對韓非子都沒有一句好話，但其實王教授認為韓非子的思想亦有可取之處。王教授已出版解讀老莊的書籍，亦自許未來能選取《韓非子》中代表性的幾個篇章，加以詮釋論析後出書。

四　給學術界後進的建議

第一、懷抱理想，燃燒熱情，才能長久投入：認同自家文化，要懷抱理想、肩負使命感，視其為生命歸屬。例如當時《鵝湖月刊》的成員大多還是學生，冒著隨時可能停刊的風險，不為名利，亦非逞血氣之勇，只為了理想抱負而挺身出來。「創發的過程」就是「學術的冒險」，新的發現會帶來感動、驚奇，到那時才了解什麼叫做「樂以忘憂，不知老之將至」。「樂」是生命自我完足的成就感，「憂」是讀書的苦累。若能堅持理想，便可樂以忘憂，獲得成就感。人生沒有白走一趟，再辛苦都值得了。鑽研學術是一條寂寞的路，必須達到「人不知而不慍」的境界。若能每逢週末假日，同學都回家休息，自己仍能堅持念書，這樣的人才適合做研究。另外不要被盛名所牽累，必須要做好自己，回到學問本身。

第二、用心讀原典：經典值得我們投入一生去咀嚼、鑽研而求其精熟，甚至熟透，才能讀出創意，而有突破性的進展。學術為漫漫長路，並非一蹴可幾。解讀經典不只是一味地走前人的路，跟隨大師的腳步，也能開創自己的路。「西方哲學」可以用來訓練思考能力，使我們概念清晰、邏輯謹嚴、思考綿密。但西方哲學不一定適合引來詮釋中國經史子集的意涵。讀大師的著作，這並不妨礙走出自己的路，仍有獨立自主的空間。若是大師早已提出了新觀念，我們還傻傻在那兒開發，便浪費時間。所以我們必須站在巨人的肩膀上，亦不能停留在書本上知識的學問，必須勇於實踐。

王教授平日已熟讀文本，故撰寫論文只消兩個禮拜，便能引經據典，走入字裡行間哲人的心靈世界。第一個禮拜騰出書桌空間，依原典的理念，建構論文綱目，準備好稿紙烘托出寫作的氛圍。兩三天找出要引據的資料，執筆一個禮拜。所以王教授認為，對老莊的解讀，也可能解讀出老莊本身所沒有想到的現代意義，但撰寫時，心裡並沒有想要超越老莊。就如同《四書集註》亦呈現朱子的思想，不再只是呈現原本的《大學》、《中庸》、《論語》、《孟子》。解讀原典，也可開出一條新的道路。

第三、專精研究：沒有十項全能的學者，大師的年代已遙遙遠去。不要為了研究的廣度而散開自己的專注力。目前在大學任職的學者，窮於應付學術評鑑及各種會議，非常可惜。一篇文章刊登出來，代表了我們的心得，必須對學術界有些貢獻。王教授奉勸現在已在學術圈的學者們，不要為了參與多方面的學術會議，耗費過多體力精神。盡可能選擇性參與活動，集結心力、專注於自己的專長。但碩博班的學生則不同，王教授鼓勵學生要多參與各種學術交流與觀摩的活動，才能提高自己的眼界。

第四、面對前輩學者，態度不卑不亢：不要看輕自己，必須有擔當，說大家不敢說的，不可以有太多的模糊地帶。不要在學術會議裡講太多謙卑的話，亦不要挑釁，態度認真、誠懇即可。若遇到研究困境，可向現場教授請教，在報告裡不要說出「我只是個研究生」之類的話。尤其是學位論文，只有研究者本身是唯一的專家，所以口考時也不要不敢回答考官的問題或怕教授覺得自己的觀點不對。若真有問題，之後修改即可。研究生只是出發的時間比有成就的學者晚了一些，仍可獨立研究，並知道怎麼去做學問，擁有部分自己的觀點，因此應該試著以不卑不亢的態度跟學界對話。

五　從花裡飄零到靈根自植——現代人的出路

王教授認為一定要閱讀原典。經典是文化心靈，代代相傳。不要以為「解讀經典」只是亦步亦趨地依循前人走過的路。傳統社會並未面對都市文明、工商社會帶來的衝擊，若能以我們的時代來重新解讀經典、寫出我們的感受，也是在開發自己獨特的道路，我們後代亦有後代的解讀方式。年輕人若是覺得學中國經典是走別人走過的路，那麼學西方理論也是在仿效別人的路。其實，不管學西方或是中國的經典，都是走自己的路。青年學子做學問要追求大師的腳步。大師的創發性很多，可以給我們正面的啟發。讀大師的著作、追隨大師，不要以為被大師籠罩或宰制，大師仍容許我們有自己的空間，天地無限寬廣，我們還是可以找到屬於自己的角落，可以落地生根、而有自己的天空。在那個完全失去信念的年代，在民族自卑感作祟之下，全盤西化是時髦新潮的代名詞，《鵝湖》的挺身而出是個不得了的貢獻，也就是因為能走出自己的豪情壯志。

以生活化的語言來講經典，讓經典跟每個生命直接相關。所有經典看似玄遠，其實切近現代人的苦悶，在生命體會時代關懷。王教授多講家庭父子、親情，曾昭旭先生則講夫婦、愛情，做為講解經典的切入點。講古典的老師、學者，一定要把經典還給現代生命的存在感受，才可以把經典帶給現代人，不要自視過高，認為自己身在學術的殿堂反而成了孤高。由於王教授出身鄉土，所以很多書、散文重在關心時代的脈動與人間的苦難。時而引經據典，時而直接將經典化為生活語言，例如《向生活說話》、《當代人心靈的歸鄉》、《走在莊子逍遙的路上》、《老子十二講》、《莊子道》、《儒門與隱者的對話》，都是這類的作品。

因此，讀原典絕不是被傳統綁住。經典怎麼讀都是死的，必須穿透知識相，往生命去體悟、體證、體現，才能把哲學活出來。哲學是為生命而開，本質上是生命的學問，還是要用生命解讀，將哲學歸於生命本身。佛門說，要穿越文字障、概念障的迷霧，才能消化、參透佛法的智慧，得到生命的解脫，汲取哲學智慧的甘泉，消化精神的食糧，滋養而帶動生命的成長。所以經典不會束縛心靈而流於迂腐，是跟生命直接相關，使用的語言與生命的關懷皆當繫屬現代。現代人應使用經典來幫助生命找出路，體貼生命的困苦所以解脫。傳統經典是現代人價值追尋的活水源頭。

諦究經史字學，迭見別識心裁

——蔡信發教授的學思歷程

柯明傑

屏東教育大學中國語文學系副教授

蔡信發先生，浙江省鄞縣人。民國三十八年，適值國共戰亂，先生經香港輾轉來臺，遂定居於臺灣。先後畢業於省立臺北師範學校（今國立臺北教育大學）、國立臺灣師範大學國文研究所，六十四年獲頒國家文學博士。相繼任教於臺北女師專（今臺北市立大學）、國立中央大學中文系、所，現任教於銘傳大學應用中文系、所，服務教育界達四十年。

一　著述爲本，不爲兼職羈絆

先生治學嚴謹，著述甚勤，於教學之際，兼任行政，未嘗一日廢書，其勤懇如是。檢其履歷，曾兼任臺北女師專教務主任、中央大學中文系系主任、中文研究所所長、文學院院長及訓導長，對於兩校的校務推動，著有嘉績；行政規章，多有建樹，以是學界咸知先生有治事之長才！此外，先生亦身膺國家重任，屢次擔任國家考試語文組召集人、大學入學考試國文科閱卷召集人，教育部異體字、成語典審查委員等，對揀選人才、文字審定，著有功績，以是之故，見重於學術、教育兩界！

除學校行政外，先生於國內學術之推動，亦頗費心力。先後擔任中國文字學會、中國訓詁學會、中國經學研究會理事長，致力小學、經學的推廣，且定期舉行學術研討會，拔擢青年學子。在文字學會理事長任內，設立「優秀青年學人獎」，鼓勵青年學子研究文字之學，又於八十七年主辦「第五屆國際漢字研討會」，邀集海內外學者，研討漢字相關議題，整合漢字的應用，功不可沒。

先生待人之真誠、處事之公允，在學界亦傳為美談。凡先生授業之門生，無不知其議論英發、是非分明，口才便給、雄辯滔滔，於學術會議場合，雖直指瑕疵，曾不假辭色，然私下相處，先生恂恂然，侃侃然，循循善誘，誨人不倦，以是深得學子敬仰，狀以「望之儼然，即之也溫」，應甚切近。

先生於臺灣師大研究所就學時，師事寧鄉魯實先先生，勤研朔閏曆算之學，後又修習《史記》、文字學，得魯氏之講授，故著述多以《史記》、文字學、經學為主。先後獲頒第十二屆語文獎章、第十五屆中興文藝理論獎章、教育部教學特優獎的殊榮。又八十五年十二月，獲國立臺北師範學院創校百週年傑出校友獎；八十八年，獲國立中央大學榮譽教授。

二　諦究字學，迭見別識

《說文》六書說，自東漢許慎立定界說與例字後，率無異議。降至前清休寧戴東原力主「四體二用」之說，後經段玉裁、王筠的推波揚厲，至民國後，學界亦多承其風，波及至為深遠。唯魯實先先生窮力爬梳，發皇大著，於許君六書學說，入其門戶，得其精妙，力主六書皆造字之則，創為「四技六法」之說，以駁「四體二用」之非，然魯文雅正典贍，初涉文字學者，讀之不易。職是，先生本諸學術傳承，發揚師說，乃先後撰寫《說文答問》、《說文部首類釋》、《說文商兌》、《六書釋例》等專著，一者整紛枝、立主幹，以紮根基；一者化深邃為簡明，理條幹以統貫，庶使學子得以循序漸進，一窺六書條例。綜觀先生文字學的立論，創新其意者凡四：

其一，許慎《說文》釋形有「从某某，某亦聲」的體例，學者多以「會意兼形聲」視之，如段玉裁於「吏」字下注云：「凡言亦聲者，會意兼形聲也。凡字有用六書之一者，有兼六書之二者。」於「禛」字下注云：「此亦當云『从示从真，真亦聲』，不言者，省也。聲與義同原，故龤聲之偏旁，多與字義相近，此會意、形聲兩兼之字致多也。」實者一字的類屬，象形即象形，會意即會意，殆無「兼」類可說，不然，若形兼二類，則究為六書中的何書？再者，形聲字條例之一為「形聲必兼會意」，此「會意」乃指會合字義，非是六書形構的「會意」。聲既兼意，則「从某某，某亦聲」與「从某，某聲」二者的釋形，實無異致。其次，會意為無聲字，形聲為有聲字，若云「會意兼形聲」、「舉形聲包會意」，豈非混無聲字、有聲字而不別，則六書的界域又何以區分？職是，先生以為「亦聲」字者，是指某形聲字的形符與聲符完全一致之謂，如《說文》「覞，竝視也。从二見」，當云「从二見，見亦聲」；「屾，二山也」，當云「从二山，山亦聲」；「鱻，二魚也」，當云「从二魚，魚亦聲」者是。

其二，段玉裁既以為會意兼形聲，且許慎《說文》又立〈句部〉，下收「拘」、「笱」、「鉤」三字，故段氏注云：「句之屬三字皆會意兼形聲，不入『手』、『竹』、『金』部者，會意合二字為一字，必以所重為主。三字皆重句，故入〈句部〉。」高舉合體字構形有所偏重的大纛，其後學者亦多所張幟，確信不移，然先生以為既是合體之字，乃合二文（以上）成字，其義必從二文的相合而得，豈有偏重？此猶二止（足）前後相隨成「步」，若重左足或右足，焉能成步行走？再如「看」，从手在目上，若以其見物之義，故重於「目」，然「見」亦以目視物，似亦重「目」，則若無手在目上，則「看」與「見」如何有別？形聲字亦同。形符以表字的義類，聲符以示該字的音讀與別義，必二者相合並重，乃得形聲的音義，何可偏廢？再者，《說文》中從「句」得聲者，除「拘」、「苟」、「鉤」三字外，尚有「玽」、「苟」、「跔」、「敂」、「翑」、「雊」、「鴝」、「朐」、「𠛎」、「枸」、「𣐏」、「邭」、「昫」、「痀」、「佝」、「耇」、「欨」、「駒」、「狗」、「鼩」、「竘」、「姁」、「絇」、「蚼」、「䵶」、「斪」、「軥」、「䣘」等二十八字，其中「跔」、「翑」、「𠛎」、「𣐏」、「痀」、「佝」、「耇」、「絇」、「斪」、「軥」、「䣘」，皆有曲折不直之義，與「鉤」字同為聲可示義者，何以不歸入〈句部〉？抑有進者，「拘」無曲義，其作「止」解，魯實先先生以為句聲是㨖之假借，方合其義，可知許君立部誤分在先，段氏迴護曲說在後，安可信從？職是，先生力主合體字的構形絕無輕重之別，以正段氏以偏概全之失。

其三，魯實先先生云形聲字聲必兼義，其不示義者，有「狀聲之字」、「識音之字」、「方國之名」、「假借之文」四類。此說獨出機杼，超邁前賢，已為學界所認可，然字義的類別有四：本義、引伸義、假借義與比擬義。假借義既是義類之一，則不當歸屬「聲不示義」。職是，先生排比論析，以為「假借之文」所示者，乃假借義，非為無義，與前三者不同，當歸於「聲示其義」中。先生進而區分形聲字聲示其義的類別，凡有四類，即：（一）聲示本義，（二）聲示引伸義，（三）聲示比擬義，（四）聲示假借義。基於形聲字的聲不虛設，則狀聲之字、方國之名，其聲各示其義，分有專指，唯示假借義，而非不示義，僅識音之字，顧名思義，其聲旨在標音，故不示義，略補細罅，冀使魯先生之說益趨縝密，博洽允當。

其四，先民造字，初不分左右，故甲文「人」可作「[illegible]」，亦可作「[illegible]」，又「[illegible]」、「[illegible]」正反無別，然至篆文，形有所定，義有所專，非如甲金文之率意而為，其正反構字，未必都是一字的異體，不然，若「[illegible]」、「[illegible]」為同字，則二文相對，如何是「[illegible]」？二文相背，如何是「[illegible]」？「[illegible]」、「[illegible]」若無別，則二文相隨，何以謂之「[illegible]」？二文相背，又何以謂之「[illegible]」？職是，先生特撰〈釋止〉、〈《說文》中一字之正反之商兌〉專文探討之，並列舉十條件，以辨正反字的是非。

三　精擘《史記》，每多心裁

《說文》之外，史學亦為先生所專志者，尤以《史記》為精，撰有《話說史記》專書及多篇論文。綜觀先生行文所論有三：一究太史公之思想史識，二析太史公書的體例章法，三評歷史人物的行止優劣。讀其書、知其人，為先生治史的根本。職是，先生乃剖析太史公的思想，其知人論世，由體例、贊語、引書、引語等資料，推證史公歸儒尊孔，過老、莊、墨、法遠甚！亦可由此而略窺史公悲天憫人的情懷，究天人、通古今的宏識。此其一。

歷來學者論述太史公書的體例，輒致力於本紀、世家等五體，至若其他者蓋寡。先生本諸五體之外，條分精微，析言合傳、附傳的區別與作用，並進而闡發史公行文取材徵獻的實例、歷史興衰勝負的辨析，以見史公節目安排的用心，詳略互見的章法。又於史才、史學、史識、史德外，益明其「史品」的可貴。此先生隻眼獨具之論，誠不我欺。此其二

成王敗寇，豈突然哉？責之史事，固非無因。先生綜觀太史公書的實錄，其中評析高祖的成王定業、呂后的陰鷙狠毒、景帝的褊狹寡恩、武帝的施政本原、韓信的忠而見疑、酷吏的譏刺時政、循吏的嚮往仁厚，乃至〈伯夷列傳〉是敘述七十篇列傳的體例、〈李將軍列傳〉是世家筆法的體製等，皆能探其幽微，尋其奧妙，或舖排勝敗的緣由，或條舉評論的事理，或滌除偏曲的陳見，而史公言外之意、弦外之音亦得以窺見。此其三。

四　尊重學術，不可貪人之功

先生告以屈萬里先生在世時，在課堂上曾說以著書立說三進階：綜輯舊說、推陳出新、沙裡淘金。先生深以為然，而增補實例，加以說明：民初學人，撰寫有關學科史實之作，搜採資料，有欠深入，在所難免，如胡樸安先生的《中國訓詁學史》，雖有宏深不足之歎，剖析欠密之憾，然可引領學子入門，粗識該課程的大略與流變，則是不爭的事實，應屬難能可貴，此即「綜輯舊說」。經史合流、五經皆史、本紀為經、列傳為傳，前人備述，惜未成體系，而清儒章學誠據以深化，撰成《文史通義》，說以六經皆史，別出機杼，一以貫之，建立史學體系，一醒學界耳目，譽為奇才，此即「推陳出新」。自北宋王子韶「右文說」以降，學者論列形聲字聲符兼義的問題，絡繹不絕，可謂夥矣，而魯實先先生精研字學，上自卜辭，下迄篆隸，旁及

經傳注釋，詳徵博引，晚年出以《假借遡原》，說以形聲字如聲不兼義，其聲為他字的假借，從造字法則切入，使形之於聲，密合無間，徹底解決形聲字聲符兼義的難題，發前人之所未發，言前人之所未言，雖未必可令天下學者全然悅服，然其持之有故，言之成理，成一家之言，則無可疑，此即「沙裡淘金」。這些都是前輩學者努力的成績、心血的結晶，得之不易，理當尊敬；反之，先生以為私取授課先生的講義，移之為注解，配以原文，復據授課先生的口語，改為譯文，佔為己有，堂而皇之出版，居之不疑，以欺世人，自為識者所不齒，學界所唾棄，殊不知精確的注解，自有其學術價值，如裴松之的《三國志注》、酈道元的《水經注》，為學界所重，即是顯例。有鑑於此，先生的著述，素以矜慎為務，每成一稿，無不詳加檢核，循讀再三，以免出錯，貽誤讀者，或稍一不慎，偶有疏失，遭鈔襲之誚，可謂臨淵履冰，謹慎之至。如先生近作《段玉裁之俗字觀》，完成有年。該著之要者，先生告以段氏奉《說文》小篆為正字，以不收錄該書者為俗字，是其基本理念，應屬字學家的俗字觀，可供觀者了解文字的本初與衍變，有利載籍的解讀。其間雖不無模稜欠周之處，實是其注《說文》的隅曲，難責其備，然平心而論，應瑕不掩瑜，得多於失。至於段氏以不用正字說解《說文》本書譌字，等同俗字，是其獨有的俗字觀，為他氏所無，雖有斟酌可議之處，要以明示《說文》是形訓之著，他書可用假借字說解本書，而《說文》不宜，則其嚴辨假借之用，有助觀者明瞭該書的義例。因此，先生屢刪屢改，頻增頻補，幾無一日稍歇，其念茲在茲，卜晝卜夜，可謂勞苦，令人不忍，然先生秉於學者務本，而此本即著述，豈可失之草率，輕爾怠忽！先生常告以名不可不求，然不可悖離其實；訓以利不可不取，然必須拋擲其貪，做人如斯，著書立說，又何嘗不是如斯！此即文章千古事，豈可徼倖於一時！

五　不忮不求，務期實事求是

先生之行政兼職，不忮不求，得其位，則戮力以赴，勤勉從公；去其職，則隨遇而安，守其本分。先生之提攜後學，量力而成，無分彼此；唯才是舉，不論親疏，縱非師承其學者，亦點撥釋疑，排難解紛，故識與不識者，皆樂與之親近。先生之讀書論學，經史並重，捨除成規，捐棄流派，並蓄異說，於不疑處有疑，於細微處見意。以文字訓詁研經，以實事求是讀史。其論文專著，輒能眉目清晰，深入淺出，論述詳贍，舉例精當，實有功於學子。先生雖無夸夸之言、熠熠之光，然平易篤實，勤學不怠，為後學之楷模，諸生之典範，洵非過譽也。

以典籍中的天文研究發揚傳統科技文化

——莊雅州教授的治學特色及其研究成果

鄭月梅
嘉義大學中國文學系專任講師

一　前言

如果不是研究中國科技史的英國學者李約瑟（J.Needham），在一九五四年出版了《中國之科學與文明》（《Science & Civilisation in China》），介紹中國古代科技對世界現代文明的貢獻，中國古代科技的成就，就不可能廣為中外學界所知。如果不是李氏曾在書中推崇中國古代的天象記錄對現代天文學的貢獻，我們也不曉得中國古代的天文學竟是人類天文學史上的第一盞明燈，更不曉得古代先民是盤古開天闢地以來天文學界的先知先覺。

但是，話說回來，這是先民的文化遺產，這套書理當由我們來寫，為什麼是英國人完成的呢？這是因為我們不認識、不瞭解、不重視、不珍惜這些文化遺產的價值，才由英國人代庖。現在我們已經認識這些文化遺產的價值，而我們先知先覺的先民們已經融入過去成為歷史，如果我們不願也不忍這些遺產隨著滾滾歷史洪流成為文化的標本、歷史的古董，我們是應當有所作為。然而，怎麼做才能活化這些文化遺產，讓它們得到新生機，並且既能延續先民的智慧，也能表現我們的精神，再現光輝明亮的文化風采與生命呢？

對此，曾任國立中正大學文學院院長的莊雅州教授有獨到的見解，他說：

> 我們對於傳統科學的研究，並不是為了抱殘守缺，沾沾自喜，而是為了感念祖先對我國乃至整個世界文明所作的偉大貢獻，更是為了重建民族自信心，為了恢復固有的發明能力，俾便昂首闊步地去迎接挑戰，去開創一個科學的、現代的新國家。（〈中國傳統科技文化研究的省思〉，《文訊》1996年9月）

這不僅指出努力的方向，也勾勒出努力的理想，同時充滿強烈的文化使命感、積極的承擔態度。為此，莊教授自民國七十年完成《夏小正研究》以來，在研究經學及語言文字學之餘，也不斷的關注中國傳統科技文化，尤其著力於中國古代天文學的研究，至今已取得豐碩的研究成果。

像莊教授這樣跨領域的治學模式——由經學延伸跨入科技文化研究的模式，在臺灣中文學界，如果不是絕無僅有，只此一家，大概也是鳳毛麟角，為數極少。而莊教授所以擁有如此獨特的治學路徑，到底是出自個人有意識的選擇呢？還是出於偶然的機緣巧合呢？如果是前者，這選擇的準則又是什麼呢？如果是後者，這偶然的機緣又是如何造成的呢？所有這些問題都與他的治學經歷有密切關係，想釐清這些問題就必須瞭解他的治學經歷。

二　治學經歷

（一）治學過程

莊雅州教授是臺灣省南投縣人，出生於民國三十一年三月三日，也就是二次世界大戰珍珠港事件的隔年。當時臺灣是日本的殖民地，四年後，臺灣光復，由國民政府統治。父親是牙醫師，母親是溫恭慈良的家庭主婦，家庭祥和，親情深摯。

七歲入學。在小學教育中，對他影響最深遠的是文史教育。不僅啟發他純樸的民族情感、故國情懷，也激發他讀書求學的志趣，因而奮發向學，學業突飛猛進，經常名列前茅。小學畢業，順利考取省立南投中學初中部，三年後，直升高中部。六年中學教育，雖然就讀的是全縣唯一的省立中學，可是，數理課程一直沒有激發他深入探索的興趣，而文史課程卻更加強他學習、閱讀的意願，也堅定他投考大學中文系的志向。

民國五十二年，考入省立臺灣師範大學國文系夜間部，次年重考進入日間部。大學五年，他如魚得水般優遊詩書的世界，在宿儒良師春風般的引導下，有如身入寶山，才知道中國文化的博大精深，典籍圖書的浩廣如海。自此一改往昔一曝十寒的讀書態度，收斂心志，專心致意於讀書、寫作，並為將來投考研究所作準備。因此，始終保持優異的成績，屢次榮獲獎學金。大學畢業，經歷實習、服役後，於民國五十八年考入母系國文研究所。肄業期間，仍舊保持一貫認真求學的態度，維持一向優異的成績。民國六十一年，在成惕軒教授指導下，以《曾國藩文學理論述評》取得碩士學位。隔年再考入母系國文研究所博士班深造。民國七十年，在高明教授與周何教授指導下，以《夏小正研究》取得國家文學博士學位。

博士畢業後，莊教授曾先後執教於省立新竹師專、淡江大學中文系、國立中正大學中文系，並曾兼任系主任及文學院院長。九十一年提前退休，轉任玄奘大學中文系教授（並曾兼任系主任及文理學院院長），九十七年轉任元智大學中語系資深客座教授，一〇一年正式退休。在三十餘年的教學（包含十年行政工作）餘暇，除了指導二十篇博士論文、六十七篇碩士論文外，仍不忘從事學術研究。

（二）治學方向的轉折

凡事，熟能生巧。做學問也是一樣。在自己熟悉的領域研究，比較容易深入，也比較容易取得成果。可是，莊教授的博士論文卻脫離他碩士論文所研究的文學理論的領域，轉而選擇經學領域的《夏小正研究》為研究主題。這究竟是什麼原因呢？

莊教授說，他自中學以來就很喜愛文學，卻多以閱讀為主，到大學才正式開始寫作，很喜歡文學理論，曾在《新天地》發表〈曾文正公文學思想評介〉。攻讀碩士選擇論文時，在自己有意研究的清代學者中，幾經評估，認為曾文正公因為功業彪炳掩蓋其他的表現，以致許多學術成就多被忽略了。其實他的學術內容豐富，所涉及的層面也很廣泛，學術視野又宏觀，並有獨到的見解，深具研究價值，就決定以〈曾文正公文學思想評介〉為基礎，擴大架構，充實內容，寫成碩士論文《曾國藩文學理論述評》。

至於博士論文的選題，則因為自己的興趣廣泛，除了文學理論，對經學也深感興趣，想多方面接觸、瞭解中國學術，而且經學又是中國學術的根本，就不想再以文學理論自限。提到經學，一般多以「十三經」為主，但是有些學者以為《大戴禮記》保留許多其他經典所沒有的珍貴資料，只是沒有《小戴禮記》幸運，得到像鄭玄那樣的名家大學者為它作注，以致於遭到冷落，其實論學術價值，它與《小戴禮記》同等重要。因此，不少學者主張把它加入「十三經」中成為「十四經」。由此可見，《大戴禮記》是經學的新生地，具有很高的研究價值，可惜很少人研究它，就以「《大戴禮記》研究」作為博士論文的主題。

選定題目後，努力蒐集了三大箱材料，最後「卻苦於內容龐雜，疑難層出」，無法在有限的時間內寫出合乎理想的論文，只好縮小範圍，以它現存最早的農事曆書〈夏小正〉作為研究重點。〈夏小正〉的經文雖然只有四百七十字，比《老子》五千言還少，卻可分為一百二十一節，所涉及的內容也十分豐富，有天文、曆法、生物、氣候、人文等，而且歷代研究的人很多，說法又很複雜。以此，寫了二十萬字的校釋、十二萬字的書錄後，時間只夠寫完一萬字的緒論，探討幾個重要的問題。所以，《夏小正研究》只側重於文獻探討，主要討論〈夏小正〉的版本、目錄、校勘、注釋等問題。

雖然已完成博士論文，但是〈夏小正〉書中所涉及的許多問題，都來不及深入探究，為達成當初研究的心願，莊教授在《夏小正研究》的成果上，又吸收相關的文獻，參考現代科技理論與知識，分門別類，逐一闡明〈夏小正〉的內容與問題，分別寫了〈夏小正之經傳〉、〈夏小正之天文〉、〈夏小正之曆法〉、〈夏小正之生物〉、〈夏小正之氣候〉、〈夏小正之人文〉、〈夏小正月令異同論〉，最後纂成《夏小正析論》一書。此後，即繼續鑽研其他典籍中的科技文化，如〈呂氏春秋之天文〉、〈呂氏春秋之氣候〉、〈呂氏春秋之曆法〉、〈呂氏春秋農業史料析論〉、〈古書中之北斗七星〉、〈左傳天文史料析論〉、〈論詩經天文意象的多元價值〉、〈科學與迷信之際——史記天官書今探〉、〈左傳占星術析論〉、〈說文解字中的天文史料析論〉、〈爾雅釋天天文史料析論〉、〈中國古代科技文化史導論〉等十餘篇，其中尤以天文學為大宗。事實上，古代科技都是非常專業的學術，不僅中文學界涉獵的學者非常少，就是想結合其他學門的專家們一同研究也是困難重重。因此，莊教授只得獨力研究，希望借此喚起各界的注意。這是莊教授由研究文學理論轉而研究經學，由經學而關注中國傳統科技文化，由關注中國傳統科技文化而跨入天文學研究的歷程。

三　治學理念與學術研究

在莊教授的治學過程中，不論是研究文學理論的碩士論文，還是研究經學的博士論文，都是在自由意志下，依照自己的意願所作的選擇。而他選擇的準則，根據他自己的說法，他認為作研究不必追時尚、趕熱門；只問有沒有研究的價值？如果是值得研究，又有興趣研究的典籍與問題，即使沒有人注意過的，都可以研究。這樣才能發揮闡發幽微的功效；再者，闡發幽微，不正是從事學術研究者的責任嗎？

至於他所以由研究經學進而跨入研究中國傳統科技文化、研究天文學，在他而言，實在是始料未及的。當初研究經學、選擇《大戴禮記》，原是希望藉此開發經學研究的新生地，不意竟因研究〈夏小正〉而跨入中國傳統科技文化的領域，投入天文學的研究。這雖然是機運的巧合，仍有他獨特的見解與意志：

> 科技文化是中國傳統文化中極為重要的一環，而在各種學科中，中國科技史的研究卻是起步最晚的。雖然數以萬計的文

> 化典籍裡早就蘊藏著極其豐富的科學史料，但直至二十世紀初，才開始有部分學者用近代科學觀點和方法去加以搜集、整理和研究。如高平子、陳遵媯、朱文鑫之於天文，李儼、錢寶琮之於數學，章鴻釗之於地質，竺可楨之於氣象，李濤之於醫藥，梁思成之於建築，張子高、李喬苹之於化學……都有可觀的成果，可惜並未受到世人應有的重視。到一九五四年，英國學者李約瑟陸續推出皇皇巨帙《中國之科學與文明》，才使世人普遍認識中國古代除了四大發明之外，還有那麼輝煌的科技成就。特別是西元三世紀到十三世紀之間始終保持一個西方所望塵莫及的科學知識水準，更是無可爭議的事實。
>
> 也許有人要說這些成就與今天突飛猛進的西方科技相較，都已陳舊落伍，不足珍視。殊不知任何文明都不能憑空而起，都有其因革損益的傳統，對於傳統的認識與發揚，實為後世子孫無可旁貸的義務。（〈中國傳統科技文化研究的省思〉，《文訊》1996年9月）

這段話，依然有他一向對研究價值的重視，對闡發幽微的學術堅持，更可貴的是除了他自身對傳統科技文化的深切使命感外，也從前人的努力中找到活化傳統科技文化的新生機。

他認為研究傳統科技文化必須兼顧認識與發揚。不論認識，還是發揚，都須由點切入、以及線、而至面的完成。因為他瞭解「天文為科學之祖，文化之母」（朱文鑫：《天文學小史》，臺北市：臺灣商務印書館，1965年），所以選擇天文學作為認識與發揚傳統科技文化的起點。而為了認識、瞭解傳統天文學的內容，他從原典及注釋中篩選天文史料；為了活化傳統天文學的智慧，他以現代天文新知闡發、賦古典以新貌；為了汰劣存優，他分析傳統天文學的優劣得失；為了開展傳統天文學的新生機、新生命，他以文化學立場，整合其他相關領域，如〈論詩經天文意象的多元價值〉，就是整合科技史、年代學、社會學、神話學、思想史、文學的研究。

發揚傳統科技文化不是一個人、或一代人的事，而是全民族代代的責任與義務。因此，莊教授希望透過上述努力，協助文史界朋友研讀古籍中的天文史料，以為研究、教學之助；並藉以引發青年學子研究古代科技的興趣，重視科際整合，以拓寬研究領域；同時期望藉此，喚起現代科技學者的注意，進而與文史界的學者分工合作，共同努力，從事傳統科技文化的研究；並盼望結合大家的學識與努力，使傳統科技文化歷久彌新、生生不息，以達成「開創一個科學的、現代的新國家」的理想。

四　結語

莊教授因為研究〈夏小正〉，而發現傳統科技文化，因而跨入天文學研究的領域，不僅開創出自己由經學伸跨天文學的獨特治學路徑，也為知識的科際整合提供可能的示範。

近年來，又致力於古籍中包含天文、地理、動物、植物、宮室、冠服、衣飾、禮器、農器、兵器等名物研究，撰有〈論爾雅草木蟲魚鳥獸考釋方法〉、〈爾雅釋魚與說文魚部之比較研究〉、〈多識於鳥獸草木之名——從詩經、楚辭到爾雅、本草、類書〉、〈論二重證據法在爾雅研究上之運用〉、〈從文化學角度探討朱子詩集傳的名物訓詁〉、〈說文解字名物訓詁研究芻議〉、〈毛詩名物圖說與毛詩品物圖考異同論〉、〈羅願爾雅翼平議〉等，以古代科技為對象，整合語言文字學、考古學及文化學知識的研究成果。一〇一年出版的《爾雅今註今譯》是繼《經學入門》之後，推廣普及經學與古代科技文化的另一部力作。此外，在語言文字學上也有不少成果，如〈聲韻學與散文鑑賞〉、〈論高郵王氏父子經學著述中的因聲求義〉、〈論說文解字之疏失〉、〈從爾雅釋言曷盍也探討歷代訓詁之演變〉、〈論形聲字之功能及其局限〉、〈論漢字教學的原則〉、〈論漢字之特質及其與文學體裁之關係〉、〈論漢字與中國文學美感之關係〉、〈從文字學與文學角度探討詩經重章疊詠藝術〉、〈語言文字學與文獻學關係析論〉等。

從莊教授已發表的七十篇單篇論文、五本專書中，我們不但看到莊教授溝通古今的努力——融合新舊知識，賦予傳統文化以新貌；推廣普及經典的用心——用白話文說解經典、介紹經典以助初學入門，方便自學；也看到莊教授承擔文化使命的智慧——藉研究古書中的天文學，以發揚傳統科技文化的理想。

當代君子儒

——訪陳光憲講座教授

張于忻
臺北市立大學華語文教學碩士學位學程助理教授兼華語文中心主任

一　溫文儒雅的學者

三月，與陳光憲老師相約訪談。雖然早就已經熟知陳博士是位博通古今，精研文史的學者。早年追隨林景伊、魯實先教授研究文字、聲韻、訓詁之學；跟從高仲華、華仲麐教授學習經學、佛學；追隨成惕軒、李漁叔、尉素秋教授學習詩詞；從張廷榮、吳若萍教授研習《易經》，奠定良好的國學基礎。其後在王更生教授的指導下，以《王靜安先生生平及其學術》取得博士學位。平日雖從陳老師已久，然而要進行較正式的訪談，心中仍帶有一點緊張。

當日天氣和熙，沒有初春的料峭，反倒是難得暖烘烘的春陽，臺北市政府前的幾株寒緋櫻全數綻放，豐潤的色澤妝點藍天，空氣中帶著清雅的花香，這位溫文儒雅的學者從春風中徐行走來，臉龐的笑容亦如春陽般燦爛。

記得初次見到陳老師時，也是如今日一般和暖的天氣！那也已經是近十年前的事了。

二　希聖希賢的情懷

猶記得第一次上陳老師的課，是民國八十八年的事，那時也是一個和暖的天氣。初次見到陳老師時，就被他儒雅的氣質給吸引了，他先環視每一位同學，歡迎我們來到文學的殿堂，接著讓我們自我介紹，以及說說自己最想學的東西，大有「盍各言爾志」的意味。

第一堂課，老師在黑板上寫下：「水之流也，息而不止，以成大川；人之學也，息而不止，以成大賢。」希望我們效法司馬光的淑世抱負。

陳老師告訴我們：「學習才會贏」，要術德兼修，做學問既要重視「文化的學習」，也要重視「道德的學習」，沒有高雅的文化，就沒有高尚的情操，唯有透過文化的薰陶、品德的修練，才能培養出與人為善、造福天下蒼生的賢良之士；「道德的學習」是優秀人格的根基，也是和諧社會的中流砥柱，有道德的人做大事、做小事都是好事，沒有道德的人做大事、做小事都是壞事。

老師勉勵我們身為研究生必須培養「坐下來能寫，站起來能講，做起事能幹」的能力，最後以溫和而堅定的語調告訴我們：「為學做人，同樣重要。」

三　積極向善的人生

陳老師早年擔任救國團的志工，「熱情洋溢、神采飛揚」是老師最貼切的寫照，只要有陳老師出現的場合，就充滿了蓬勃的朝氣，他告訴我們：「要積極、要樂觀，要為成功找方法，不要為失敗找藉口。」

陳老師提倡「看正面、看亮點」的教育，認為教育工作者就是人性的工程師，必須將最好的思想、最精湛的技能、最純潔的品德，無私的注入下一代的心中，讓下一代的生命比我們更豐美、更幸福。

光憲老師喜歡營造互相欣賞優點和彼此加油肯定的情境，他深信「讚美與肯定」的妙用，因此學生永遠朝著「向上、向善」的方向發展，在肯定與讚美聲中展現了人性的互愛與關懷。

當學生有挫折或遇到生命中的瓶頸時，陳老師總是適時的鼓勵，讓受挫折的學生有了絕處逢生的感覺，他的讚美也讓學生感到人生可愛極了！

在面對挫折與困難時，陳老師最常鼓勵大家的話就是「痛苦要忍受，困難要突破」，以一種積極進取的態度，教導人家尋求解決問題的方式，並且常以故事、寓言的方式深入淺出的表達生命經驗，因此上陳老師的課，大夥兒都如沐春風，也常常忘記下課的鈴聲。

陳老師勉勵我們，要從古籍中去尋找人生的答案，期許我們有生命的承擔，就有強健的力量，其中有句話一直到現在都深刻記得，那句話是這麼說的：「得意時不能忘形，失意時不能喪氣」，這句話在很多時候，都給了筆者新的力量。

四　辦學卓越的能手

民國六十四年八月，陳老師以三十三歲之齡，出掌德明商專（即今日之德明財經科技大學）校長，成為當年從小學至大專院校最年輕的校長，直至七十五年十月請辭卸任為止。

陳老師擔任校長將近十二年期間，卓越的領導風格，至今常常為教育界所津津樂道，他提倡「夥伴教育」，與學生亦師亦友，以救國團的團康方式，辦理各項活動，讓全校呈現空前的蓬勃朝氣。

原來陳老師自民國五十九年起，即擔任青年朋友的義工，秉持「為青年學生服務」的理念，帶領文藝營、天文營、大專社團幹部研習營，並膺任歲寒三友會駐會輔導教授及金門、馬祖戰鬥營總領隊，是青年朋友的良師；早年在大直中學服務時，任訓育組長、訓導主任，大力推動生活教育，榮獲全國生活教育評鑑最優學校、全國民族舞蹈比賽第一名。民國六十四年至七十五年，擔任德明校長期間，繼續發揮高度的服務奉獻精神。

陳老師擔任校長時，運用團康的技巧鼓勵學生要會玩，也要會讀書，而社團活動是健全學生身心的最好方法，透過社團讓學生體會如何被領導以及訓練學生的領導能力，讓學生在活動競賽中了解成功的方法，以及檢討失敗的原因和跌倒了再站起來奮戰的勇氣。他認為大學生必修三門課程：「學業、社團與愛情」至今仍是從事大學教育者所奉行的準則。

他帶領德明就像經營一個溫馨的家庭一樣，在學生心目中認為他是一個不一樣的校長，甚至學生幹部不稱他校長、不稱老師，而稱他為「陳大哥」，就像在救國團辦活動的稱呼一樣。

民國七十二年，他的辦學得到最高度的肯定，在全國商專評鑑中，德明的所有科系都得到最優等，讓很多名校以及公立學校認為不可思議，學藝競賽方面也締造多項奇蹟，一個沒有設立外語科系的學府，竟然得到教育部所舉辦的大專院校英語演講比賽第一名，也得到北區大專院校英語辯論比賽第一名，國語演講比賽第一名，更難能可貴的是羽球比賽打敗設有體育科系的所有院校，在十二年校長任內，年年蟬聯全國甲組比賽第一名、學生數由一千六百人增加至近八千人，奠定了今日德明財經科技大學的良好基礎，這一切都是因為陳老師有一顆熱忱奉獻的心。

陳校長把這些成就歸功於全校師生的努力，他曾經在校刊上寫一篇〈向團隊精神致敬〉的文章，表達師生甘苦與共的精神。

辦學有成，備受肯定的陳老師，學而優則仕，在各界的徵召下，民國七十四年當選臺北市第五屆市議員，展開為期四年為民喉舌的生涯，卸任後仍擔任臺北市議會顧問。

民國七十九年起出任臺北市立師範學院進修部主任、訓導長、學務長、副校長等行政主管，亦曾擔任應用語言文學研究所所長，同時擔任臺北恆善會顧問、國家考試典試委員、教育部閩南語教科書評鑑委員、教育部海外華語教授、國家文官培育所講座、臺北市鄉土語言輔導團指導教授，均以「教育愛、責任感、榮譽心」的理念，貢獻一己之力，服務大眾，並在副校長任內，完成了改制升格大學的艱辛任務。

陳老師之所以有這種服務的精神，實來自於范仲淹之精神感召。范仲淹的人格與志業，是陳老師在年少讀書時，最仰慕的對象，陳老師因崇敬之，進而研究之、效法之。范仲淹，字希文，蘇州人，是北宋的名臣，曾經官至參知政事（相當於副宰相）。「先天下之憂而憂，後天下之樂而樂」的名言，概括了他憂國憂民的一生。而陳老師對范仲淹的研究，受到海外學術單位的肯定。香港新亞洲文化基金會編印之《范學論文集》，編者的話特別稱許：「當代文史學人陳光憲先生的《范蠡與范仲淹的進退變通智慧》，以春秋末期的智士、能臣范蠡同范仲淹公進行比較研究，認為這兩位范氏先賢不僅在政治、經濟、軍事謀略上有不少共同之處，而且都有功成不居和樂善好施的人格特質，文章夾敘夾議，饒有意味。」光憲老師之所以能夠進行深入之研究，實因陳老師已與范仲淹公跨越歷史鴻溝，進行了對話。

五　樂爲經師與人師

陳老師博通古今，精研文史，在學術論著有《慧琳一切經音義引說文考》、《王靜安學述》、《王國維生平及其學術研究》、《范仲淹文學與北宋詩文革新》；勵志文集方面有《神采飛揚》、《戰勝自己》、《絕無盲點》；有聲光碟方面有《鄉土語言數位教學》六集、《盛唐三家詩的饗宴》、《唐詩宋詞的饗宴》、《閩南語詩歌吟唱教學》、《鄉土語言閩南語教學》等，並發表數十篇期刊論文，亦於《人間福報》撰寫「歡喜心專欄」，均受到各界的喜好，也因此備受學術界、教育界的肯定，民國八十七年榮獲教育學術貢獻木鐸獎。

陳老師在教育學生之時，除了傳授學問、知能之外，更注重人格修養。以其豐富的生命經驗融入教學之中，不但把自己最好的思想、專業知能及人生理想貫注在學生的心中，更希望這些思想能夠生根、發芽、茁壯。

陳老師「行善積德、功成不居」的風範，深深烙印在門下的學生心中，年初「大直導報」刊登：「大直國小第十六屆校友黃先生慨捐新台幣壹仟萬元，回饋母校師生，據說他在大直中學讀書時，曾是陳光憲老師的學生，前年曾有一名高徒楊愛倫當選美國紐約州眾議員，如今又出現一位大善士，足證名師出高徒之名言不虛。」報刊所登的消息，足證老師潛移默化之功，深植於門下學生的心中，這些都是陳老師所灌輸的教育理念所致。

六　孝道倫理的呼喚

陳老師的服務心，在提攜後進上表現無遺。陳老師總是提醒我們要學習〈坤・大象〉中的「厚德載物」精神，而在陳老師身上所看見的，正是這種精神的體現。在陳老師擔任德明校長任內，聘請多位俊彥之士，為學生授課。國文課程方面有黃永武、張夢機、羅宗濤、沈謙、李瑞騰、吳哲夫、曾榮汾、鄭寶美、竺家寧、吳達芸、古添洪、汪中文、張高評、邱衍文、陳坤祥、陳信元、蕭蕭（蕭水順）、陳兆南、雷喬雲、林正三等博學之士，師資陣容已足夠成立國文研究所；法科師資方面，有林國賢、黃守高、陳計男、蔡調彰、吳啟賓等人，後來都成為總統所提名任用的大法官，在商科方面亦聘請理論與實務兼具的師長，一時名師騈集於德明。上述多位優秀教師，許多是陳老師的師門兄弟姐妹，一方面提攜了師門兄弟姐妹，讓多位優秀教師能夠相觀而善之、互勵而勉之，讓德明和老師的聲望、德望都水漲船高；一方面也提攜了德明的學生們，以最優秀的師資為德明的學生進行教導，正符合了孔子所說的「其身正，不令而行」和福祿貝爾的名言「教育無他，唯愛與榜樣而已」的真諦。

陳老師在授課時，常常勉勵學生做「君子儒」，要求同學多讀聖賢書，以弘揚儒學為己任。由此可知，陳老師的學術，強調的不只有「理論」層面，同時也注重在「應用」層面。

由於陳老師卓越的學術成就，使得他將自臺北市立教育大學屆齡退休前，即受到兩岸三地及海外（如韓國等）多所大學的邀約，欲聘請陳老師擔任該校之講座教授。最後陳老師選擇回到德明財經科技大學，一方面是對德明科大的感情；一方面也是希望能多多教育臺灣的下一代，以推動生活教育、生活禮儀、孝道倫理，讓臺灣社會變得更和諧美好。

最近陳老師完成《生活禮儀》、《現代孝經倫理》二書，呼喚重視孝道倫理，足見光憲老師用心之深、濟世救世之切。

採訪後記

與陳老師在餐廳中一邊悠閒地用餐，一邊進行採訪，除了上述的訊息外，陳老師更關心筆者近來的情形，也指導筆者許多事情，更在採訪的最後，勉勵筆者先投資自己，重點在訓練自己和磨練自己，讓自己有充分的能力去面對和解決問題。而這訓練自己和磨練自己是有方法門徑的，最重要的是和高手學習，多向良師益友請教，不論是讀書，或是交朋友，都要有所選擇。在經營自己的生命時，以修身、齊家、治國、平天下的理念行之，在起心動念之時，不要有不好的念頭出現；在學習時，要能夠把古典裡好的東西轉化成為現代可用的東西，萬古常新的理念，變成現代化的理論，不要僅止於照本宣科，也要有自己的想法；並學習范仲淹樂善好施、功成不居，知所進退的精神。不知不覺中就過了近三個小時，可巧陳老師下午有課，在送老師回學校的路上，才發現滿路的杜鵑也都開了。

豪華落盡見真淳

——實踐地儒學家曾昭旭教授

曾文瑩
輔仁大學全人教育中心兼任助理教授

曾昭旭教授，民國三十二年生，廣東省大埔縣人。臺灣師範大學國文研究所畢業，國家文學博士。曾任高雄師範大學國文研究所所長、中央大學中文系主任、淡江大學中文系教授，現任華梵大學講座教授。

曾昭旭教授主要研究領域為中國義理學、生命哲學，愛情學。著有學術專書《王船山哲學》、《道德與道德實踐》、《在說與不說之間》、《儒學三書》、《經典‧孔子‧論語》等；以生活語言詮釋經典的作品《論語的人格世界》、《讓孔子教我們愛》、《有了自由才有愛》、《老子的生命智慧》；哲思散文《情與理之間》、《人生書簡》、《且聽一首樵歌》；電影分析作品《從電影看人生》、《在愛中成長》、《人間世與理想國》；愛情學作品《不要相信愛情》、《永遠的浪漫愛》、《愛情工夫》、《解情書Ⅰ、Ⅱ》、《愛情四季》、《曾昭旭的愛情教室》、《因為愛，所以我存在》等共近四十部。

曾昭旭教授成名甚早，年少時才華外顯，詩文、書法俱佳，頗受師長器重，研究所時開始教學生涯，在大學兼課，據同事朋友所述，當年在淡江大學開設中國思想史時，深受學生喜愛，宮燈教室連走廊上都坐滿了人。作為一個大學教授，曾昭旭老師與一般教授最大的不同，除了教書、寫書，也為發揚新儒學創辦《鵝湖月刊》，擔任主編，主持過鵝湖出版社；長期於民間講學，並活躍於演講場合。曾教授一直「真誠地以儒家之徒自居」，相較於當一個專業學者，埋首學術撰寫論文，他自覺地選擇從生命切入，關懷人生，做一個「街頭的儒學家」，他曾說：「我對自己的生命型態很清楚，專業學者不差我一個，但是內在做自省、外在做實踐與探險這種人卻非常少。」

除了內省自立的身心修養之學，許多人認為婚姻、愛情不屬於傳統心性學範疇，是不值得關注的生活瑣事，但曾昭旭老師「另類的」關心男女感情問題，他將生命定位在為現代人打造一條現代化的，從傳統走出來的愛情婚姻之路，一路走來「獨立而不改」。他人生的自信，來自於成長過程中對生命的體悟與反思，他為人解惑的愛情道理也是通過真誠地實踐而得。

一　成長過程體悟人生的有限與無限

曾昭旭教授出生於民國三十二年初，那正是抗日戰爭最熾熱的時候，母親帶著他與姊姊逃回家鄉廣東大埔，抗戰勝利以後到香港，之後再遷居臺灣。小時候，家裡也有過短暫的優渥環境，那時他不喜歡讀書，生活渾渾噩噩，逃難到香港時，才知道人生疾苦。

首先是從小跟著母親逃難，身體缺乏適當的調養，體質孱弱，在病痛的逼迫之下，體會了形軀生命的有限，他常常需要認真面對自己的生活行為，給自己訂下生活戒律，才能維持一段時間不生病。除了生理病痛，當時也體驗外在環境的困苦，初到香港因為經濟困窘，曾經失學一年半，母親叮嚀他自己看書，寫作文，練毛筆字，生活也自由愉快。但入小學之後，每到月初，就看見有人被唱名回家，因為沒有錢繳學費。他發覺人生並不輕鬆，而感受到生存的嚴肅，知道了人生不可以隨便玩玩，於是開始認真唸書。

這時人生的轉折點，是由渾渾噩噩到認真嚴肅地面對人生，越是辛苦的際遇，越容易啟發人內在的生命自覺，如孟子所言：「人之有德慧術知，恒存乎疢疾。」「持戒」是他做自己生命主人的一個開端，先管好脆弱的形軀生命，在理性的規劃之中珍惜自己身體的有限，然後才能讓德性生命從這裡發端。

人的存在體驗，往往是同時發現了人生的有限，也同時發現人生的無限。中學六年，曾教授讀的是學風自由的建國中學，學校裡有教學方式很性格的老師，有一群好同學，這使他青春生命的各種興趣得以萌芽，年輕的生命力得以抒發。他參與演講、書法、作文等比賽，也主編校刊，在此時發現自己性格「平均」，對各學門都有興趣，這樣的特質或許不適合做一個「專家」，但卻正適合做一個「通人」，走道德實踐的路，思考有關生命、人文的學問。

同學之間自然的情感互動，也讓他有了最浪漫的感情經驗——當他們喜歡一個人，就對他好，讓他快樂，自己也快樂。雖然後來這些青春情懷都煙消雲散，大家成為好朋友，但這是一次重要的感情教育，他學會愛不是佔有，而是無私，是付出。

青春生命最自由也最跌宕，中學時一但迷上了什麼，他就把功課丟一邊，曾經拿過全班倒數第二名，也有時認真，得了全班第二名，但名次沒有關係，這時期他體會了自由，「自由」就是路由自己來走，那就是忠於主體性，忠於自我。

二　學思歷程的幾個重要關鍵

進入大學以後，是曾教授人生的另一個轉折。考大學時，為了與中學的好同學們一起唸書，於是選擇唸理工，大學填入師大數學系，原本為的是次年重考臺大。

唸了一個月，他發現重考是件非常無聊的事，人何必浪費一年的生命，只為了考試而唸書？既然有了人生規劃的自覺，他決定留在師大，又權衡輕重，覺得唸數學不如改唸國文。數學是個純粹科學，得有創見、發明才有意義，進修則需要出國才行，唸中文系既適合自己性情，在國內可唸到博士，又可就近照顧父母，是一條最順當的路。這當然不是畏懼坎坷，而是選擇一條最順的路，才能有最多力氣去做正面積極的創造。

轉系是曾教授人生中所做的第一個重大的抉擇，想清楚以後，態度就非常堅定。當然，每個人遇到的人生課題不同，但他說：「我覺得人生要為自己做一兩次重要的抉擇與堅持，才能建立人走自己的路的根本自信。」

在自由的前提下堅持走自己的路，這是實踐地從內在建立起自信。漸漸地，他覺得生命有了一個整體的提昇，在二十五歲那年，曾教授對「自己是一個怎麼樣的人」做一個反思，寫了生平一篇重要的文章：〈試論平凡的人生觀〉。文章字斟句酌寫來，確定他的人生觀是平凡的，最大的理想就是做個俯仰無愧的人。人不應該將價值建立在比較而來的優勝劣敗，人生真正的成功，是每個人都可以各不妨害的成就他自己。從那之後，他的人生觀沒有本質的改變。

就在此後，甫入研究所的他讀到梁漱溟先生的《東西文化及其哲學》，發覺得到一個以孔子為名的線索，可以把過去接受的零碎的儒家觀念統整起來，他興奮地以為見道了，到處向人宣說。沒想到這過度的熱忱，使他的人際關係緊張起來，甚至有朋友寫信來絕交。這是內心的創造性，在生活的歷練中受到考驗，如果當時一味固執，那也就變得自我中心，但他一念迴向自我，反省「難道自己一點問題也沒有嗎？」

這時，他又讀到另一本對他人生影響重大的書，那便是唐君毅先生的《人生之體驗續篇》，他省悟到每一項真理旁邊都有一個陷阱伴隨，如果知識分子自以為可以教人，那很可能是一種傲慢，其實根本是不尊重別人的自由人格。於是憑著一點根本自信，他把原來建構的價值觀拆掉，回復事物本來的素樸面貌，花四、五年的時間，重新、慢慢搭建新的人生觀。這是由實踐而來，真實、平凡的人生觀，而且是一個開放系統，生命原是生生不息的，我們只能朝著這人生觀的方向，堅定而持續不斷的實踐而已。

人肯定自我、堅持自由自主，還要通過存在的考驗，才算對命限有所突破，也才能真正建立自己的人格內涵。當生命自立到一個段落，曾昭旭教授此後的工夫，主要就在推己及人上，他把生命向外推擴的焦點，放在兩性關係、愛情、婚姻課題的思考與實踐。

三　關心現代人的感情生活：建立以「愛情」爲本的新家庭

曾昭旭先生曾說自己的學問「話雖然都不見得新鮮，但它們全不是抄書來的，全不是架空推想來的，每一語都從自我真實的生命中錘鍊而來，每一語都有我自己的行為作證。」他述及從小最快慰的事是「有人待我好，是有人願意我待他好」，於是他明白「感情」之珍貴，因為它是人內在最深層的渴求。

人心真實的要求就是感情，然而數十年來眼見所聞，他感到「男女情愛」就是現代人最普遍而深重的煩惱。如果儒學是一門關懷生命的學問，那我們又怎能對今人所受的愛情之苦無動於衷呢？所以他總想在禮壞樂崩、夫婦道苦的時代，為兩性關係摸索出一條真實而合理的新路，那就是改變傳統男尊女卑、兩性分工的舊格局，而開啟以愛情為本，平等互動，相融為一體的新典範。

《中庸》說：「君子之道，肇端乎夫婦。」然而，牽涉男女感情的夫婦一倫，卻從未被列為儒學或心性學的重要課題。曾教授認為這不是由於男女感情無關乎心性的修養，而是因為「機緣未至、條件未備」，才使得感情未被列為儒學的一環。

孔子開出仁禮相涵的儒學規模，提出「仁」做為「禮」的內在動能，外在的禮由是成為溝通人我、有益人生幸福的優美儀文。在民智未開的階段，那是一個「才也養不才」的時代，道德責任都落在少數菁英身上，在家庭中是夫、父，在社會上就是君、士，不但社會結構是依上下尊卑的層級原理來構成的，連動力（愛）來源都是自上而下。所以傳統重視父子倫的孝道，人要從祭祖、事親的儀節中培養他誠篤的感情，然後推擴至家國天下。

但現在是一個多元、開放、民主的社會，普遍人都被啟蒙了，婦、子也都受教育，能獨立思考，加上父愛大多變成父權乃至威權，現代人不願接受，今天，根本動力（愛）的啟發和培養也應當有方式上的根本變革，那就是把人際關係的重心從上下的縱貫軸轉變為橫向的平等關係，以愛情取代傳統孝道，做為家庭、社會結構中的動力來源。

我們知道平等關係的師友之道，在宋明也被廣泛的討論，但朋友基本上是「以文會友，以友輔仁」，以道義相交，有問題而來，討論完便揮手道別，沒辦法是生命全面而深入的交往。藉師友之間的論學來幫助人自修，在生命修養上不夠深微到家。相較於友道，「愛情道」則是夫婦以獨立的個體為主，來關心對方的生命，以對方為鏡子照見自己生命的限制、缺點，基於了解對方，基於生命相通的需求，要求自我成長與開發，這不但應該是自我成長、心性修養的一環，是一種同修，更是心性學最新、最有待我們去實踐的形態。

曾昭旭教授認為，從孔子到陽明都沒有處理男女感情的夫婦倫，因為當時這個問題尚未浮現，現在我們處於一個愛情已啟發的世代，每一個當代的人都渴望浪漫觸動、嚮往愛情，一個儒者或修道者，又豈能逃避此一問題而不求通達？所以，他將全盤的心性修養工夫引入男女相處，而使愛情生活道德化，讓世人於此可求安身立命之道。

在婚姻的路上，曾昭旭教授也曾基於傳統的緣分或道義，幾乎跟一個與自己性情、人生觀並不相合的人結婚，後來懸崖勒馬悔婚了。犯過幾次感情的錯之後，他在準備好的時刻遇見夫人楊長文女士，一開始，兩人處在生命觸動的浪漫氣氛中，一段時間後，他們從純粹的境界重回人間，兩人便認真面對彼此的差異，首先，約定好尊重對方完全的自由，於是兩人都能坦誠以對，誠實表達而不逃避，當然，越向內部探索，人的差異愈大，每個想法、習慣常常是二、三十年的生活累積，一般人遇到這種情況，通常就不願意再交往下去了，然而感情就是要探索生命的內部，尤其是夫妻，如果不充分了解彼此人生觀是不是一致？性情適不適合？是無法繼續往前走的。

婚後，夫妻兩人常為了一個問題，互不相讓的談到半夜，每次談，對對方就更認識，更有新的了解，至今仍幾乎每天交談，幾十年來有說不完的話。曾昭旭教授十分珍惜與妻子之間數十年的了解與信任，他認為對方促使他對自己反省得更深微，現在可以去愛人而維持分寸不出岔，也全是因為有妻子的支持。

曾教授說：西方人很強調浪漫感，然而浪漫觸動不是愛情的唯一要件，維繫婚姻還需要情人們共同成長。在舊禮教已不可依賴的現代社會，婚姻要靠情人們獨立的人格和自信來維繫，而這自信從何而來？必然從情人們因愛情的啟發而有的心性修養來。生命的學問，原是日新又新的，每一個世代有他特殊的課題，也都有他全新的自我實現之道，通過心性修養，讓真正的道德以男女之愛來表現，也許是當代儒者最應當把握的實踐方向。

四　學而不厭，誨人不倦

曾昭旭先生的儒學，並不專研道德本體的形上世界，他言事理之應然，都是建基於他生命的事實與體驗，透過勤懇地工夫修養，貫注到他的學問與著作中。他通過生活經驗講述心性之學，經典不再那麼高遠，就在平常日用，人倫之際。

他也貼近學生、聽眾或讀者們的存在感受，去聆聽他們的愛情煩惱或人生困惑，因為他自己的實踐路程，需要真誠與勇氣面對生命中的陰暗，所以他比較能瞭解別人生命中的幽微陰暗，也多一點帶人們走回正途的能力。他希望每個人自覺並發揮內在的創造力，最好是「所有的人際關係都成為一種愛的關係」。

二〇一一年七月，曾昭旭教授卸下專任教職，從淡江中文系退休了。但仍任華梵大學講座教授，為學生開設「愛情義理學」，繼續民間講學，講授儒道經典與電影等課程，亦持續於報章專欄發表文章。其所以孜孜不輟，因為生命實踐與教學是一個儒者一生的文化事業罷！

閱萬品人，歷萬般事

——董金裕教授學思歷程

陳逢源
政治大學中國文學系教授

一　前言

韓愈〈師說〉「師者，所以傳道、受業、解惑也」，是大家熟悉的一段文字，但在閱讀宋明理學家的語錄、文集之後，卻覺得這段文字實在寓意深遠。儒者以「師」為志業，立足於世，志存千古，心中所向，不是案頭文章，不在功名利祿，關懷是道的薪傳，以及師生之間永續的情誼。個人以為，這實有開啟一代思想的宣言意義。臺灣以多元價值自許，固然充滿自由勃發的精神，也充斥許多似是而非的觀念，但筆者求學、執教以來，身處於校園之中，眼之所見，耳之所聞，不同階層，各個角落，許多老師兢兢業業，以薰陶啟沃莘莘學子為職志，光輝所在，成為社會穩定力量，以及思想核心，於現實功利之中，何其可貴；在視「學校」為「生產事業單位」的風潮中，又何其難得。董金裕教授是筆者從碩士、博士，乃至於現在追隨其後，同校任教，二十年來一直引領教誨的老師，亦步亦趨，奉為典範。

二　求學與經歷

董金裕教授，臺灣省苗栗縣人，民國三十四（1945）年七月生。由於尊翁任職銀行，家境相對優渥。董老師自幼穎悟，就讀竹南國民小學、竹南中學初中部、新竹高級中學，成績優異，表現傑出。然而老師記憶最深刻之事，乃國小、國中階段，結交幾位不同家庭背景的朋友，其中一位是空軍飛行員的小孩，一位是中國人造纖維公司廠長的小孩，假期經常一起到各地旅遊，加上廠長家庭西化較深，接觸久了，無形中讓自己的視角不致局限於一隅，個性更為開朗，體會到不同的生活條件，卻可以有同樣的單純心靈。

就讀新竹高中，進入新竹地區名校，原就是令人稱羨之事，尤其當時辛志平校長深有通才教育理念，堅持各年級教學不分組，文、理兼備，建立更為全面的知識基礎。高三雖有選擇聯考志願的困擾，但日後證明，同學廣泛學習，反而有助於大學專業的養成，而且進入社會之後，文、法、理、工、商、醫、農等領域皆有表現傑出的同學，無形中人際網絡更為寬廣。老師表示，直到現在，依然有幾位不同領域的高中同學每年定期聚會，分享彼此生活經驗。或許出於獅子座的個性，老師深有領袖氣質，高中時擔任班長，同學間感情融洽，雖是班遊，卻都向學校申請校外教學公文，因此得以參訪著名的觀光景點、機構。其間曾經為了爭取同學權益，向校長提出要求，不僅護持班上同學，更由於論理明晰，讓校長印象深刻，日後老師大學尚未畢業，就接獲新竹中學聘書，得以回母校服務。老師曾寫一篇〈中學教育對李遠哲的影響——兼懷辛志平校長〉文章，可以證明這段情分。

至於選擇大學，則是人生另一個重要關鍵，老師家境不錯，成績又名列前茅，父執輩鄰居有開診所的醫生，鼓勵考醫學院，但老師表示每天要見病人愁眉苦臉，並非志趣所在；校長認為老師條理清晰，適合念法律系，但老師表示不喜歡枯燥的法律條文，而且不論告人、被告，兩造都是愁容，也非快樂工作。然而喜歡文學，在《中央日報》、《新生日報》副刊曾刊出文章，心中以文藝青年自期，所以老師在外文系與中文系間選擇，後來因為考量未來出路，當時僅有師大國文系有博士班，既可當中學老師，又有進修機會，所以選擇念師大國文系。畢業實習之後，同時考上師大國文所及政大中文所，選擇進入政大中文所就讀。就學習歷程而言，平順出於努力的結果，但方向則由智慧決定。一般而言，理工與文科出於不同的性向，但老師曾經參加科展獲獎，極佳之數理能力，卻選擇了文科；一般選擇臺灣大學，但老師卻以絕佳成績，選擇臺灣師範大學；在一般人選擇法政學科，但老師卻選擇國文系；一般人考慮以母校為深造學校，老師卻轉換環境選擇政治大學中文所；一般人選擇研究文學，但老師卻選擇思想義理。擺脫習見，勇於創新，似乎是可以解釋的理由。

進入研究所，師承熊公哲教授，以《章實齋學記》獲得碩士學位，考入博士班，由高明、熊公哲教授聯合指導，撰《宋永嘉學派之學術思想》，獲得博士學位，並通過教育部考覈，獲得國家文學博士榮銜。履歷所及：曾任新竹高級中學國文教師、大華工業專科學校講師、明新工業專科學校講師、靜宜女子文理學院中文系副教授、教授兼系主任、國立中興大學中文系兼任教授、東海大學中文研究所兼任教授、國立政治大學中文系副教授、教授兼系主任、國立編譯館國中國文教科書編輯小組召集人、國立編譯館《中國文化基本教材》編輯小組召集人、國立編譯館高中《國文》教科書編輯小組委員、孔孟學會常務理事兼《孔孟月刊》、《孔孟學報》主編、大同資訊企業公司高中《國文》教科書主編、康軒文教事業公司國中《國文》教科書主編、國立政治大學文學院院長、國立政治大學教務長，以及教育部、國科會等多項計畫主持人。曾獲竹南國小、新竹高級中學傑出校友、中正學術獎、中興文藝獎章（文學理論類）等殊榮。現職是國立政治大學中文系專任教授，今年更榮任為特聘教授，老師勇於任事，經歷之豐富，於此可見。

三　學術與貢獻

老師精力旺盛，成就多方，乃是眾所週知之事，尤其在學術、行政事務、編纂教材方面，更是投入頗多，往往諸事蠭至，仍然舉重若輕，悠遊從容。就學術方面，老師雖然謙言：「因為編纂教材的工作，耽誤了學術論文的撰作。」但是從著作目錄來看，除學位論文外，《懷舊布新集》是文化評論文章，反映對時事的關心；《忠臣孝子的悲願——明夷待訪錄》是疏解經典的介紹文字；《正氣文選析》是文章選析；《至聖先師孔子釋奠解說》是首出之祭孔典禮解說；《宋儒風範》是突破門戶，直究宋儒精神之作；晚近更有《朱熹學術考論》新作面世。其中《大成至聖先師孔子釋奠解說》一書，現已翻譯成英文、日文，也準備翻譯成韓文，影響及於海外。就以〈擴增大學聯招錄取名額並非萬應靈丹〉一篇文章，寫於民國七十五年，距今二十餘年，對應於現今大學錄取名額的寬鬆，以及衍生的複雜問題，不得不佩服老師高瞻遠矚，洞燭機先。至於思想義理研究，前人往往建立門戶概念，漢學、宋學不同，心學、理學有別，在此是彼非中建立論點；或是援取詮釋標準，強調唯心、唯物之判，唯理、唯氣之分，在方法觀念上辨析是非，而溯其淵源，自周汝登《聖學宗傳》、黃宗羲《明儒學案》即是如此。但老師之作，擺脫門戶，絕無依傍，唯求釐清事理，以《宋儒風範》一書，泯除家派，但求儒者風範所在，至於其他相關篇章，如〈朱熹與四書集注〉一文，回歸於朱熹撰作歷程考察，就頗有從經學論理學之用意，凡此種種，論理綿密，文字簡潔，唯求古人之真精神。

老師曾言及一段往事，在碩士班就讀階段，由於已經結婚，師母於新竹女中任教，老師也在新竹高中兼課，邊教書邊寫論文，每寫完一章便北上向指導教授請益。有一回，熊公哲教授覺得某一處的寫法不妥，在討論之後仍然沒有共識，但卻影響到全文書寫架構，所以老師留在臺北找相關資料，但回到新竹時，熊公哲教授寄來的限時專送早已送到，表示幾經思量，同意老師的寫法，不僅可見前輩學者的開闊心胸，也引導老師深覺學術之間，原就來自於個人不同角度的思考，不同的心得，出於自然，所以撰作論文，唯求事理合宜。另外，大學時期曾修過周何教授三門課，日後雖然於政大進修，但周何教授仍然經常邀請共同參加國際學術會議，遂得與國外學者接觸，年輕之時，就有全球視野，曾經與旅外學者如成中英、杜維明、香港學者趙令揚，以及中國大陸宮達非、辛冠潔、張立文、陳來、姜廣輝、王守常、錢遜，日本學者高橋進、石川忠久、友枝龍太郎，韓國學者崔根德、梁承武，新加坡陳榮照等人共同籌設「國際儒學聯合會」，推動儒學研究，也介紹臺灣「中國文化基本教材」的編纂工作，建構世界學術當中的儒學主體地位，也形塑臺灣學術應有之影響力。

至於行政方面，老師從靜宜大學中文系主任開始，屢屢承擔行政工作。老師言及，處事必須設想久遠，當時堅持聘任必須具有博士學位，乃是因應未來學校評鑑，延聘顏天祐、李豐楙、鮑國順、王文顏等教授，不僅為學校注入新血，日後更是學界精英；負責《孔孟月刊》、《孔孟學報》編輯工作，更在期刊評鑑風潮之前，引進審稿制度，用意在於提昇刊物學術品質；舉辦救國團「國學研究會」，以多元之課程設計，提供中學生與中學教師了解國學，潛移默化，培育國學種子，當時聘請之研究生服務員，日後也都進入大學任教，至於影響學員選擇進修深造，更是難以計數；擔任政大中文系主任，為求師資交流、資源共享，推動與臺大中文系、臺師大國文系、清華中文系跨校選課措施，並且打破門戶觀念，延聘各大學優秀學者，如竺家寧教授、陳芳明教授，皆是學門中頂尖人士，老師曾言凡有利於學生，原就該廣納全臺，甚至是海外之優秀學者；甚至於政治大學教務長任內，增加中午服務時間，並研擬政大首創之「秋假」，在週休二日，逐漸取消所有假日的情況下，為師生鬆綁，為大學上課「時間」，思考如何「解嚴」，得以在密集的課程當中，有國外、校外學術交流的喘息時間。凡此種種，皆可窺見老師之用心與創意，老師曾言：「如果為公眾利益，有些時候不妨勇於突破。」或許就是存心至公，所以敢言敢為。

至於中學教材編纂工作，更是老師費心最多之事，從高明教授將編纂「國中國文教科書」一事，交由老師負責開始，後來與國立編譯館合作，編成「中國文化基本教材」、「國、高中國文教材」等教科書，日後又從國編本進入審訂本，不同層級，不同範疇，不同年代，有著相同的投入與用心。數十年來，數以萬計學生，得以建立文學涵養，了解國學基本常識，影響難以估量。從剔除戒嚴時代的政令宣導文字，將《四書道貫》「三綱八目」義理架構，回歸於《四書》原本脈絡，援取流行歌詞、引介翻譯文學，凡此種種，打破傳統窠臼，不同於「政治正確」的思考，而是增加趣味，開拓視野，以學生為主體，回歸於文學本位，逐步建立臺灣語文教育之規模。以目前學術評鑑方式，所見無非論文篇章，所爭無非點數，但身為中文人，未能為臺灣萬千學子留下文化種子，實在有虧職守，諸多前輩學者奮力而起，慨然承擔，豈不令人動容，而老師長久之付出，又豈可不留下一筆。

四　結語：師生之間

其實不論識與不識，初見其面，老師聲氣宏亮，條理分明，已經令人印象深刻，於人群之中，魅力所在，往往引人目光。尤其勇於直言，不計一己得失；思想靈活，不受宗派局限，不論身處何處，永遠坦然自在，言其當言，行其可行。在課堂當中，老師一方面給予學術上之知識，又常常鼓勵發表個人之見，不務一家，不守一言，唯求言之成理，於學生有最大之思想自由。然而老師常常謙言一切出於前輩學者的啟發。以筆者所見，老師於高明教授住院時之關懷，於周何老師退休之後的照顧，深藏師生孺慕之情，而於學生間，每年春節都會宴請指導學生，凡有學生寄來之卡片，老師都珍重而回覆。曾聽老師言及「天底下只有父母與老師，對於子弟是不妒不嫉，樂見其善」，也確實於老師身上得到印證。老師要求學術非常嚴格，卻有滿滿的關懷，讓人覺得身為政大學生是幸福的，老師卻說：「如果讀書過程沒有人愛，以後如何愛自己，愛周遭的人。」實在是充滿智慧之言，或許就像《莊子．養生主》所言「指窮於為薪，火傳也，不知其盡也」，師道之存，就是在師生間代代傳遞的薪火。最後老師經常叮嚀我三件事情：多交不同領域的朋友：使自己的心胸、視野開闊。保持從容：做事盡力，留有餘裕以因應突發之事。到各地遊歷：觀各地風土民情，增加不同經驗，讓自己「閱萬品人、歷萬般事」。想起朱熹曾勉門人：「道理不只在一邊，須是四方八面看，始盡。」（《語類》卷114）相同的提醒，受用之餘，列舉以饗讀者。

鎔東亞儒學於一爐而冶之的黃俊傑先生

張崑將
國立臺灣師範大學東亞學系教授

一　黃俊傑其人

第二次世界大戰結束後的次年（1946），黃先生出生於臺灣南部的農村，父親辛苦種植香蕉，黃先生曾自述自己的童年大部分是在「蕉風椰雨」中渡過（《臺灣農村的黃昏．自序》）。直到進入中學讀書，才負笈都市。由於長期在農村長大的童年生活，土地與農民所孕育的樸實誠懇之農業文化深深烙印在黃先生心中，黃先生日後關心臺灣農業文化的發展與研究，感慨臺灣農民的價值取向與農村民俗文化隨著工業化的來臨而日趨低俗，以及臺灣農業隨著「經濟的奇蹟」而日漸邁入「農業的黃昏」，這種深切的感慨不無受童年經驗所影響。

臺灣當年的史學界，頗受到五四青年胡適（1891～1962）、傅斯年（1896～1950）「上窮碧落下黃泉，動手動腳找東西」的史料學典範相當大的影響，吸引許多青年學者投入史學研究。黃先生在高中階段即通讀古籍，並熟讀《史記》，志在鑽研史學，故而一九六五年大學聯考以第一志願考上臺灣大學歷史系，此後進入研究所攻讀碩士，鑽研中國古代史。一九七三年取得碩士學位後，負笈海外在美國西雅圖華盛頓大學從知名政治思想研究者蕭公權先生（1897～1981）問學，一九八〇年獲得該校歷史學博士學位，學成歸國後即擔任臺灣大學歷史系教職。黃先生如今是臺灣大學歷史學系特聘教授、臺灣大學人文社會高等研究院院長、中央研究院中國文哲研究所合聘研究員。由於先生治學甚勤，不僅著作等身，亦擔任臺灣與海外多校的講座教授或客座教授，學術榮耀頗多，先後獲得美國王安漢學研究獎（1989）、傑出人才講座（1997～2002）、胡適紀念講座（2005～2006）、中山學術著作獎（2006）、臺大學術研究傑出專書獎（2006、2007）等。

筆者有幸在大學時代，聆聽黃先生的史學方法論課程，深為先生精彩絕倫的上課方式所吸引。黃先生上課，必親製自成一格的講義，在授課之際，動輒旁徵博引，融通中西，加上先生口才極佳，有大師風采，除能吸引許多學生，也能激發許多學生從學志向及拓展國際視野。黃先生雖然擔任許多校內及校外的職務，極為忙碌，但治學與研究更勤，教學的本分工作更認真。筆者在研究生階段，自一九九八年開始擔任其教學助理，黃先生在寒暑假期間必事先整理出下學期要授課的內容及講義，全交給筆者，要筆者好好研讀，並仔細交代每講的思辨問題，以便與學生討論，這種對教學助理的磨練，對日後初為人師的筆者，相當有幫助。

黃先生的上課風格，嚴肅而不失幽默，由於具有學思敏銳、博雅通達之教學特色，動輒有神來之喻，借古諷今，加之常引經據典，往往能博得修課學生的滿堂彩。黃先生在教學上如此的用心及成功，曾得過臺大優良教學獎，今年（2008）又獲得優良教學獎，足見黃先生不僅是多產的研究者，同時也是極有口碑的教師。

此外，黃先生在研究所的課程中，往往援引中西理論與史實加以論證與批判，比較著重經典詮釋及思辨訓練活動，以激發學生批判性的思考能力，研究生報告援引到古今名著，先生往往就能隨手翻出該人著作，並直接翻出其論點，與研究生討論並補充其論點，故往往在下課後，只見滿桌書海。

黃先生的治學與研究態度，頗受其業師蕭公權先生之影響。蕭先生治學之座右銘，是改寫《荀子・正名》「以仁心說，以學心聽，以公心辯」而為「以學心讀，以平心取，以公心述」，這「三心」相當影響黃先生的治學態度，這可從黃先生常在教學講義上，往往印有蕭先生這個治學格言窺知。筆者想藉這「三心」，稍微介紹黃先生的治學態度。

就「以學心讀」而言，黃先生至今已屆六十二歲，幾乎沒有一天廢書不觀，廢筆不寫，著作量累積可觀。黃先生也幾乎無處不寫作，即使在飛機上、車上、會議上，只要偶有創意想法，隨即振筆疾書，欲罷不能；筆者每年在除夕或過年會打電話向先生拜年，黃先生人一定在書房，回答筆者說他又閱讀到什麼資料，激發他著手寫一篇新文章，有一些新創見解等等，將之分享給筆者，結果拜年話題往往成為學術討論的話題。筆者只能自嘆「學心」遠不如先生。其次，就「以公心述」而言，黃先生雖專攻儒學思想史，但亦喜涉文學與哲學乃至佛學，且能中西兼採，加上所受的專業是歷史學訓練，故其專著多能廣徵群書，引經據典，余英時先生曾為黃先生之書寫序時就說過：「不但篇篇都旁徵博引，註釋周詳，而且對於異見也往往存而不論，絕不輕施呵斥，其有益於學風，更不待言。」充分顯露出黃先生學術之嚴謹態度，亦具「以公心述」之風格。另就「以平心取」而言，這點可用黃先生投入臺灣的研究來做說明。臺灣這二十年來經歷過政黨輪替，兩岸關係緊張，統獨論爭不斷，處於如此風起雲湧、驚濤駭浪的臺灣，一些史學界學者，紛紛投入政治，或為政治人物背書，或用意識型態治史，製造政黨需要的「政治知識」。黃先生則保持知識分子應有的「平心」，堅持知識分子永遠站在政黨的對立面，擔任批判者的角色。故黃先生在自己的儒學思想史專業之餘，尚願意投入臺灣史領域的研究，平心研究臺灣史，涉及臺灣農業、臺灣教育、臺灣文化及臺灣意識等課題，其中特別關注轉型期的臺灣，以其思想史家的睿見，盡一位知識分子之本分，探尋出一條符合儒家的中道精神。

二　黃俊傑的學術關懷

揆諸黃先生主要的學術關懷有三大領域，其一是東亞儒學思想史領域，這是黃先生從孟子思想起家（已有《孟子思想史論》卷一、卷二及英文的《孟子詮釋學》研究成果），歷經二十餘年儒學思想史的鑽研，進一步擴展到日本、韓國的儒學研究。東亞儒學思想史領域目前是黃先生最為關注的學術課題，十年前黃先生即與臺灣大學、清華大學等一批優秀的人文研究學者，共同針對「經典詮釋」課題進行團隊研究，不僅開啟國內人文學研究的合作先例，同時也企圖開拓「東亞經典詮釋傳統」之特色，這可從黃先生自一九九八年起主持臺灣大學的《東亞近世儒學中的經典詮釋傳統》之卓越研究計畫成果窺知，如今七十餘本的研究成果著作已經由臺灣大學出版中心出版（成果可參臺灣大學出版社之東亞文明研究叢書），堪稱國內學術界的一大盛事，也頗受海外學術界所重視。在上述成果的研究基礎上，如今黃先生繼而在臺大人文社會高等研究院之下推動「東亞經典與文化研究計畫」，以「東亞」為研究之視野，以「經典」為研究之核心，以「文化」為研究之脈絡，既宏觀中外文化交流，又聚焦東亞各地文化之互動。相信未來有關東亞文化的研究在黃先生以學術團隊的合作方式，開創學術新局。由於黃先生近幾年所推動的「東亞儒學」研究，成果斐然，其著作受到中日韓學者的重視，紛紛翻譯出版其著作，目前已有《德川日本《論語》詮釋史論》、《東亞儒學：經典與詮釋的辯證》兩書，已經陸續被譯為日文與韓文，不久即將出版。

黃先生第二個學術關懷是戰後臺灣史的領域，除了前面所提及早年對臺灣農業的關心與研究之外，由於近十幾年來目擊臺灣處在風狂雨驟的歷史變局中，黃先生別有會心，發揮「原始察終，見盛觀衰」（〈太史公自序〉）之慧識，以中英文分別出版《戰後臺灣的教育與思想》、《戰後臺灣的轉型及其展望》、《臺灣意識與臺灣文化》、Taiwan in Transformation, 1895～2005（Transaction Publishers, 2006, 2007）。另編輯《光復初期的臺灣：思想與文化的轉型》、Cultural Change in Postwar Taiwan、《臺灣的文化發展：世紀之交的省思》、Postwar Taiwan in Historical perspective等書。上述有關臺灣史的著作，從書名稍可略知黃先生特別重視歷史與文化上的轉捩點，將之放在東亞或世界的視野，窺探出每一階段臺灣新文化格局的動態精神（dynamism）。

黃先生的第三個學術關懷則展現在大學通識教育的領域。這是近二十年來，黃先生在專業研究工作之餘所衍生的學術成果。二十餘年來黃先生參與大學通識教育改革工作、大學校長遴選工作，每年主辦或參與有關高等教育或通識教育之學術研討會，先後並出版《轉變中的大學通識教育：理念、現況與展望》（2006）、《全球化時代大學通識教育的新挑戰》（2004）、《大學通識教育探索：臺灣經驗與啟示》（2002）、《大學通識教育的理念與實踐》（1997），另編輯《21世紀大學教育的新展望》、《21世紀大學教育的新挑戰》、《大學理念與實踐》、《大學理念與校長遴選》等書。綜觀黃先生上述有關通識教育的專著，若與其他談通識教育的學者相較，其最大的特色在於能夠「結合傳統與現代」、「賦古義以新詮」、「鎔鑄中西學說」，故而人文學者讀之，可以促其思考及應用傳統學術如何與現代接軌；自然科學者讀之，也能欣賞古典哲人對教育與人文思想內涵的深邃。黃先生治學能有如此功力，不僅得力於對古典學問的深耕，而且也同步吸收西方有關大學教育的最新學術研究。

三　東亞儒學研究的新使命

上述三大學術領域，黃先生皆能開出新義，卓然成家，而黃先生最關心且最重要的學術成就則在於儒家經典詮釋研究。黃先生自承最近的研究工作除探討屬於「第一序」之經典解釋之內容外，更重視屬於「第二序」之經典解釋方法論或解釋策略等問題。如所周知，向來歷史學的研究者大皆著重在「第一序」的研究，比較少關注「第二序」的研究方法，黃先生可說是能兼兩者，而其所重尤在「第二序」的經典解釋方法論。因此，黃先生不僅可徜徉於史學界，更能優游於文哲學界，與他們一起合作與研究。

隨著二十一世紀的來臨，亞洲（尤其是東亞）逐漸興起，以及「全球化」的加速發展，黃先生深深了解東亞人文社會科學界開始從二十世紀「國家中心主義」的研究格局，逐漸轉而以東亞為研究的視野。因此，二十一世紀的學術研究，必然要具有跨文化的、跨國界的、跨學科的、多語言的多重視野，這就是黃先生在今年（2008）擔任臺灣大學人文社會高等研究院院長職務時，強調必須加強「以東亞為視野」、「從東亞出發思考」的研究方向。

關於以東亞為研究的視野，筆者以黃先生的《東亞儒學史的新視野》一書為例，這本書一方面把捉東亞思維的特色，另一方面尋求普世性的價值系統；在方法論上，則「建議從比較思想史的立場，扣緊西元一千年以降中日韓等地區的東亞思想家對儒家經典的詮釋，分析東亞近世儒家經典詮釋傳統的發展及其特質，以邁向儒家經典詮釋學的建構」，從而「為『東亞詮釋學』的建立奠定實證研究的基礎。」正是這樣的學術雄心，雖然黃先生已足堪稱「中國詮釋學研究的代表人物」（參李清良，〈黃俊傑論中國經典詮釋傳統：類型，方法與特質〉，刊於《中國詮釋學》第1輯，2003），但黃先生投注二十多年心力，開闢具有別於西方詮釋學的「東亞儒學詮釋學」，鎔東亞儒學於一爐而冶之，黃先生不僅是華人圈中這個領域的開先者，而且也正帶動著中國、韓國、日本等東亞儒學、文化、經典等各領域學者的交流與對話。

至於黃先生何以要開拓「東亞儒學詮釋學」之課題？特別是從儒家經典出發的「東亞詮釋學」，無非有股強烈的文化使命感。我們可從黃先生最重要且最關心的儒學研究來看，實深受第二代新儒家（唐君毅、牟宗三、徐復觀）的著作及文化使命感所影響。記得筆者最初找黃先生當指導教授時，他給筆者所開列出來的讀書書單便是唐、牟、徐等新儒家的代表著作，誠如余英時先生為黃先生的《東亞儒學史的新視野》一書寫的序中所說：「與一般職業史家不同，他自始便帶著沈重的使命感而來的。他所追求的不僅是知識而且是價值」，因此「如果我們說他基本上繼承了新儒家精神，大概雖不中亦不甚遠。」黃先生並未曾以新儒家第三代自期，但繼承新儒家精神的文化使命感是有目共睹的，新儒家第二代因有當代的文化使命之課題，均聚焦於中國儒家文化本身如何與西方文化對話之課題，未暇關注或擴及到從東亞儒學領域出發，找出一條屬於東亞（不只是中國）本身獨特的詮釋學。如所周知，具有這個東亞課題的共同分母，並且也能形成一個具有東亞本身特色的詮釋學之代表者，正是儒家經典。黃先生如今已屆六旬，要開拓「東亞儒學詮釋學」這條路並不容易，但正是由於這個擺脫自國中心的儒家詮釋學理念，正開啟華人年輕研究者的新思路，也在海外的東亞國家紛紛得到追隨的知音者，將來成效可期。

望之儼然，即之也溫

——訪臺灣大學夏長樸教授

陳顥哲
香港浸會大學中國文學系博士生

一　生平與經歷

夏長樸教授，湖北黃陂縣人，民國三十六年（1947）生。老師就讀小學時，曾因病在家休養二年；生病本身不是件快樂的事，但提起這段在家休養的日子，夏老師卻顯得頗為愉悅，因為在這段時間裡，老師獲得充足的時間閱讀各類書籍，他說：「在家的日子，我無所不看，只要有文字的印刷品，都是我閱讀的對象。」老師自幼即對閱讀有著濃厚的興趣，再加上父親對傳統典籍的喜好、家中擁有不少古典文獻，讓老師得以在年幼時對傳統文化有相當的接觸。再者，父親的藏書種類包羅萬象，上至天文、下至地理，可謂琳瑯滿目。是以當老師於家中休養而博覽群書時，不知不覺中，也充實了各方面的知識。

夏老師初中就讀臺中一中，高中考進臺中二中，其後乃轉學臺北而進入師大附中就讀。附中校訓強調「人道，健康，科學，民主，愛國」，校風自由，不做無謂干涉，讓學生適才適性的發展，能夠滿足老師想嘗試各種事物的旺盛好奇心；這也正是師大附中成為老師心目中第一志願的主要原因。對此老師打趣地說：「高中時候，哪有什麼專心唸書？整天只知道玩而已！」老師對多采多姿的課外活動充滿興趣之外，對閱讀的熱情也未曾稍減，仍然熱衷於涉獵各項知識。不過，老師從事這些活動的基礎，是立足於恪守學生本分之上，因此未曾怠惰學業，即便是多數高中生最感到吃力的英文、數學，仍然是抱持著「學習」的興味而使成績名列前茅。到了二年級選擇類組時，老師秉持著對於人文知識的愛好，毅然決然的選擇了社會組；在當時，男生多半選擇自然組，惟有對數理不拿手的男學生，在客觀條件不得已的情況下，才會就讀文組。相較之下，老師的成績向來優異，卻能打破社會窠臼，選擇了出路不被看好的文組，可見少年時期的夏老師，對自己的人生不僅有著明確的規劃，更具備完成夢想的勇氣，老師強調這當然也要感激家中父母充分尊重子女選擇的自由。這麼說來，也許時下一些為了文憑與薪資而茫然求學的學子們，或許都要感到汗顏了。

爾後，老師順利進入臺灣大學哲學系就讀，期盼能夠借重哲學系縝密的思考訓練，以增進自身的思辨能力。但是在大一這年裡，夏老師密集的閱讀了許多梁啟超談論國學的著作，受其吸引，興趣開始聚焦於中國傳統的學術思想。當時以西方哲學為教學主體的哲學系，並沒有足夠條件提供學生一個完善的傳統典籍訓練，老師因而萌生轉系的念頭；是以在升大二的暑假，申請轉往中國文學系。這個決定可說是老師人生中的重要轉捩點，自此之後，老師即浸淫在中國傳統學術的優美世界中，直到今日。在成為中文系的一分子後，老師依然保持廣泛學習的熱忱，不僅繼續旁聽哲學系的相關課程，也曾為了杜維運先生的史學方法論，走入歷史系的課堂。大學時期，老師好學的個性以及兼收並蓄的態度融合為一，對知識的多方涉獵，使他在日後為學的態度上，總有著開闊的胸襟與氣度。

就讀臺大中國文學研究所之後，夏老師受學於何佑森先生門下。何先生是錢穆先生的高足，長於學術史研究，這樣的學術取向正巧與夏老師兼容並蓄的個性相合。職是之故，夏老師的碩士論文即是撰寫以漢代學術史為主軸的《兩漢儒學研究》；博士班時，老師也依然接受何佑森先生的指導。在何先生的悉心引導下，研究重心也由漢代學術逐漸轉向宋代，撰寫了以王安石為研究主題的博士論文《王安石的經世思想》，從學術史的角度，探討王安石經世致用的思想基礎。

回想起在臺灣大學求學的十一年歲月，老師除了衷心感謝何佑森先生的諄諄教誨以外，也十分感念屈萬里先生、張以仁先生及系裡其他先生對他的照顧。夏老師不只一次提及屈先生上課時的風采：「屈先生每次授課都像是一篇優美的文章。」更欽佩地說：「屈先生所說的每一句話，背後都有著堅實的依據。」屈先生嚴謹的治學態度，張先生愛護學生、關心學業的期許，就如同何先生廣博的學術眼光般，師長們教誨的一切都深深的影響著夏老師。時至今日，老師的著作仍建立在「泛覽博觀」的閱讀上，而撰寫過程中「嚴謹」的資料擇取，與「不拘一格」的史料運用，也都將老師的治學風格具體的呈現出來。

民國六十九年完成博士班學業並通過教育部國家博士口試以後，老師留校任教，三十年來作育了無數英才，還先後擔任臺灣大學特聘教授、臺灣大學文學院副院長、臺灣大學《文史哲學報》總編輯、香港大學中文系客座教授、教育部顧問室諮詢委員、行政院國家科學委員會人文處中文學門複審委員、中央研究院歷史語言研究所學術審議委員等職。身為一位老師，他總是秉持著「學術乃天下之公器」的無私態度，對學生的疑問，無不傾囊相授。老師豐富的閱歷也讓他在待人接物上養成了一種開闊的氣度，對於不同的意見，只要是合理的、有助益的、正面的，老師都能欣然接受；即便是遇到意見相左的看法，老師也以持平的態度去面對、討論，曾受學於老師門下的學生們無不對此印象深刻。

二　學術與貢獻

在這數十年來，夏老師歷任許多公領域之職，肩負各種校內外事務，處理雜沓而來的各項公務，雖然如此繁忙，卻也從未因此荒廢本身的學術研究。單就其論著來看，自民國六十二年始，發表〈全祖望的學術思想〉後，幾可謂年年皆有產出，上溯先秦兩漢，中承兩宋，下探明、清，內容囊括至廣，這非有過人的精力與湛深的才學，不能舉其事。以老師曾著力探討的李覯與王安石之間的學術關係為例，即可窺見老師旺盛的學術生命力於萬一。先是在民國七十六年發表〈李覯的非孟思想〉，緊接著在七十七年發表〈李覯的重禮思想及其與荀子的關係〉一文，追溯李覯思想的學術淵源；隔年，即撰寫〈近人有關李覯與王安石關係諸說商榷〉，重新處理近代學者將李覯與王安石視為師友淵源的觀點。經過鉅細靡遺的論證後，老師將此一通說之所以出現的理由原本展現，並指出這個說法之所以提出，主要關鍵是胡適〈記李覯的學說〉一文所做出的「大膽的假設」，再加上侯外廬《中國思想通史》補上的一段資料，然這段資料其實僅是對於王安石〈答王景山書〉中一句話的錯誤解讀。但這一句話的誤解，竟成為李、王淵源關係的重要證據，進而敷衍而成一個學術論點，一變成為普遍為人接受的通說，影響既深且遠，至今未已。若非具有過人的細心、耐心以及發掘真相的勇氣，確是難以破解這樣積非成是的迷霧。

對於學術史有著敏銳心思的專才，其實從老師的碩士論文《兩漢儒學研究》中已見端倪。在論文中，將此一主題分為上、下二編，上編為「兩漢儒學的發展」，對兩漢儒學作縱的剖析，寫作方式以歷史的演進為準，依據儘可能擁有的文獻資料，對儒學在漢代獨尊的原因、經過，及儒學成為漢代官學後本身的演變情形，整理出清晰具體的脈絡；下編則是「兩漢經學與人事」，著重於經學在歷史之中的運作，以具體的個案為主體，就經學在人事上的實際應用情形，及其對當時政治、社會產生的影響，做深入的探討。鉅細靡遺的廣搜文獻、深入的探討分析資料，參考近人的論述得失，據以推出合理的結論，從而建立觀點，是老師在進行學術史探討時的不二法門。「所謂的學術史研究，也不過就是『辨章學術，考鏡源流』八個字而已。但是若要做到，則必然需要廣泛的蒐羅資料，對於研究對象、主題的相關資訊，盡可能做到無所缺漏；爾後則須仔細的勘查、反覆的釐清資料的內容與可信度，據以深入分析論證，並且參酌學界的研究成果，覈諸於自心思考所得。必須如此，才能算是完整的學術史研究。」這樣的理念，一直是老師在進行研究時的方法，也一直如此的指導後學。

老師除了在自身的學術上精進之外，也不曾忽略身為一位學者所肩負的使命：知識的永續傳承。因此在眾多的專門學術著述之外，老師也撰寫多篇關於學術傳承等議題的文章，如民國八十五年的〈經學的困境〉一文，旨在探討一九〇一年科舉考試廢除後，經學失去傳統地位，學者棄經不讀、研讀經學者日寡的問題，並重新呼籲讀經的必要性。為了改善這樣的困境，增進當代學生對於經典的興趣，老師於是應空中大學之邀，與臺大中文系同事葉國良先生、李隆獻先生合著《經學通論》，介紹經學的基礎知識、歷史發展與實際應用，提供津梁，便於初學者能一窺經學堂奧。為了推廣學術，老師也曾撰寫書評，推薦值得閱讀的好書，廣開方便法門，使學生省去許多不必要的精力消耗，讓學生對於追求知識的道路能夠更加通暢。這些提攜後進的工作，看似容易，卻十分耗費心力，但也是老師長久以來的教師生涯中從不曾疏忽的使命。當筆者與老師談到今日「讀經的人數雖然在總數上增多，但是經學的『困境』卻依然存在」的話題時，老師久經世事臉上依舊充滿了關心與期待。可以預知的是，雖然今年八月已從專任退休，未來中文學界依舊會有夏老師的身影，只是讓老師得以稍稍寬心而放下承擔的日子，何時才會到來呢？

三　生活與實踐

就老師而言，學習傳統文化、就讀中文系，是他一生都不後悔的選擇。他說：「現代人最常問中文系的學生：『你讀這個有什麼用？』也不只一個學生問過我這個問題。」確實，無論是當年老師選填科系的年代，抑或是二十一世紀的當下，人文學科都必須面對這樣的檢視，而這也是身處其中的每一個人心中都有的達摩克利斯之劍。然而，老師反問：「飲食確實是維持生命的必要條件，但人只要填飽肚子就夠了嗎？」對他而言，人之所以異於禽獸者，即在於能「思考」、懂得反省。人因為可以思考，會反省、會質疑，懂得追求比生理慾望更深刻的精神價值，才是人之所以為人的獨特原因。而不論是哪個領域的人文學科研究，都是追求真、善、美的具體展現。因此，「讀中文系有什麼『用』，這個『用』實在不在於計較月薪多少，或者能過著多好的物質生活，因為中文系教你的不是如何去賺那些阿堵物，而是教你一種如何提升生活品質的態度。」是以「一個中文系學生，未來無論從事什麼樣的工作都很好，因為他都能從中尋得生活的美感，都能有著超越現實面的精神高度。」就老師而言，「中文系」當如屈萬里先生所解釋，是代表著「中國文化」的一門科系，絕非僅是「中國文學系」而已；也必須是「中國文化學系」，才能使身處其中的學者，浸潤在這種溫柔敦厚的文化氛圍，從而達到符合中庸之道的生活態度。

或許也因為這樣的態度，使得老師得以在諸多紛擾的瑣事中，依然可以安然的沉浸在他所追求的知識之中。此外，老師更從所學中獲得待人處事的法則；在閒談中，老師對筆者透露他的處事秘方，說：「先多聽，再多想，從各種有助益的意見中揀取出一個平衡的方式，找出解決之道。重要的是，有時要設身處地站在對立面做思考，不要一廂情願地試圖將自己的意見強加於別人身上。」這不也正是老師為學的方法嗎？老師學貴廣博，一如多聽意見；求知須謹慎，恰如多方設想；至於不要強加意見予他人，則又是中國文化中敦厚的那一面。因此，總的來說，老師是一位不折不扣典型的「中文人」。

四　後話

在這次的會面之前，對筆者而言，夏長樸老師是一位只聞其名、拜讀過其著作的謹嚴學者，雖然心嚮往之，但卻一直未能有幸親炙其學。然而，雖是初次見面，夏老師卻不因素昧平生而對筆者有所保留，猶如自己所指導的學生般，對筆者循循善誘、鼓勵向學。這份對於後進的關懷之情，讓筆者感到無比的溫暖。訪談末了，老師說了一段話，闡明身為中文人的弘願，他說：「學術工作是一份傳薪的事業，代代相承。我們由前人手上接過棒子，兢兢業業，小心謹慎，惟恐有所閃失。未來我們也將把棒子傳給年輕的同道，只希望我們交出手上的棒子時，棒子能更閃亮、更光輝。」

經學史研究的總工程師

——林慶彰教授

葉純芳
北京大學歷史系中國古代史研究中心副教授

立定志向

民國三十七年，林老師出生於臺南縣七股鄉（現與臺南市合併，改制為臺南市七股區）玉成村，父母親靠著八分地的收成養育家中所有的小孩，不是書香世家，沒有顯赫的家世，卻造就出一個深深影響經學界的大學者。

民國五十八年，他考上東吳大學中文系，當時教授「國學導讀」課程的老師有著濃重的鄉音，造成同學們學習上的障礙，有些同學放棄不聽，他則找到屈萬里先生的《古籍導讀》來幫助自己了解「國學」，並因此漸漸對國學產生興趣。接著，他又閱讀屈先生的《書傭論學集》，雖然書中有許多內容對他來說相當艱難，卻讓他感受強大的吸引力，鼓舞著他立下想要研究經典的決心。對屈先生的景仰，成為報考研究所的動力，他一心想要到屈先生任教的臺大就讀，做屈先生的學生，但最終以七分之微落榜，只得先去當兵。

在澎湖當兵期間，擔任文書兵，使他可以在公餘之暇讀書。做為前線的澎湖，晚上十點之後必須熄燈，為了考上研究所，他買了手電筒，晚上在被窩裡讀《尚書》，白天則手抄《尚書》，並託就讀臺大法研所的表弟到中文系旁聽屈先生的《尚書》課程，抄成筆記，隨時寄到澎湖。民國六十三年，東吳大學中文系成立研究所，聘請屈先生等多位國學大師至東吳任教，林老師轉而報考母校的中研所，以第二名的成績錄取並保留學籍，於六十四年八月退伍。九月入學後，開始跟隨屈先生研究經學。

由於明代的經學被後人誤解太多，有必要將加以釐清，屈先生給了林老師碩士論文《豐坊與姚士粦》、博士論文《明代考據學研究》兩個題目。碩士論文完成之後，甚至得到屈先生「打破三百年來成說」的讚賞。對一個年輕的研究生來說，無疑是不可取代的鼓勵，成為林老師今後學術研究強大的信心與精神支柱。優秀的表現，讓他碩士畢業後即留任母校，同時考上博士班。不過，就在林老師就讀博士班的第二年——民國六十八年二月十六日，屈先生卻因為肺癌病逝於臺大醫院。

內心的傷痛雖難以平復，但他認為「這是老師的遺志、是屈先生所給的題目，一定要完成」。即使後來才發現題目範圍過大，仍堅守著這個信念，經過五年的努力，並由當時的系主任劉兆祐先生、昌彼得先生共同指導，完成了博士論文。民國七十二年，獲得博士學位後，改聘為專任副教授。

撰寫博士論文的同時，他發現明末清初學者有一種考辨偽書的風氣。當時考辨《易圖》、《古文尚書》、《子貢詩傳》、《申培詩說》、《周禮》等經說的學者，都有一個願望，希望藉考辨這些書釐清儒學的真面貌，這樣的學術活動，林老師將之命名為——「回歸原典運動」。民國七十九年，他以《清初的群經辨偽學》一書，通過升等教授的申請。此後，他又陸續發現唐末宋初、清末民初也都有此現象，因而認為中國經學史的發展，每經過數百年，通常會有一次回歸原典運動，而將此論點清楚表述在〈中國經學史上的回歸原典運動〉一文中。而這部書所提出的「回歸原典運動」，成為現今研究經學史的學者經常提到的一個重要觀念。

民國七十八年八月，中央研究院中國文哲研究所成立籌備處。籌備處主任吳宏一先生非常欣賞林老師，建議他申請文哲所。民國七十九年五月，所方諮詢委員會通過林老師的申請，同年八月正式轉任中國文哲研究所經學組，從事研究工作，直到今日。

在這裡，他開始展現出自己領導統籌的能力。文哲所籌備初期，館內藏書缺乏，兩岸才剛開放，他就到北京的中國書店，將文史哲相關書籍全部買下，共裝一百二十餘箱，豐富了文哲所的館藏，在當時也成為中國書店員工們茶餘飯後津津樂道的故事。今天我們可以輕描淡寫說出這件事。但在當時，懷著巨款到大陸買書，買到的書能不能安全寄到臺灣、會不會被海關扣留，都是未知數，不能不佩服老師的決斷力與勇氣。現在我們在文哲所圖書館看到的早期中國大陸的書籍與期刊，都是非常罕見而珍貴的資料，大約都是林老師當時所購入。這些書籍與期刊，成為文哲所籌備期重要的奠基與資產。

經學研究的推動者

在林老師的想法裡，他認為做一個中央研究院的研究員，最重要的責任不是讓自己成為享譽海內外的知名學者，而是要讓更多人願意投入經學研究的行列，同時讓那些容易被忽略、遺忘的經學家與經學著作重現於世。這樣的觀念表現在他樂於幫助每一個需要經學資源的學者、學生，不論認識與否，也沒有國界。

他深知一定要將臺灣的經學研究推向國際，才能讓他們瞭解臺灣經學研究的內涵與水準，同時吸引這些國際知名的學者來到臺灣，幫助學者瞭解國外的研究成果。故從民國八十一年「清代經學國際研討會」開始，以時代作為劃分，每兩年召開一次大型的國際經學研討會，至今已經從清代舉辦到了秦漢時代。每個會議結束，在一至兩年內都會出版研討會的論文集。接下來，林老師計劃分經召開研討會，這樣，相信更能看到同一研究領域學者們精彩的論辯。

中國大陸在文革時期，經學研究者一再遭受整肅，人人自危。文革之後，經學可說是衰落到了極點。近年來，受到臺灣經學研究的影響，各經的研究能夠逐漸萌芽，其中一個關鍵的人物，就是林老師。他廣邀大陸學者參加所內舉辦的各項研討會，讓他們深入瞭解臺灣的經學研究情況。這些學者回到自己的學校，也都依循著這樣的模式，影響著他們的學生。老師每執行一項經學研究計畫，便組成考察團，到中國大陸考察經學家的遺跡。例如執行「清乾嘉揚州學派研究計畫」時，他們赴揚州作實地考察，與揚州地區學者舉行學術交流會，讓當地學者體認到原來自己生長的地方曾經出現過影響深遠的經學家，進而帶動當地學者的經學研究。

大陸學者對國外的研究成果取得不易，時常求助老師，他總是來者不拒，不論是幫忙買書或複印論文，都盡量滿足他們的需求。老師究竟認識多少大陸學者？老師想了想，說：「見過面、交換過名片的就有三四百人。」有這麼多學者願意投入經學研究的工作，經學在中國大陸一定會興盛起來吧。

學術風格的形成

「研究工作應以文獻資料的整理點校為基礎」，這是老師一直灌輸學生的觀念，也是他做學問的一貫作風。

開始《詩經》的教學工作之後，老師認為研讀《詩經》不能僅閱讀鄭玄《毛詩箋》、孔穎達《毛詩正義》、朱熹《詩集傳》等注本。於是在博士班畢業當年，他蒐集檢擇當時研究《詩經》的單篇論文，集結成《詩經研究論集》，以便學生參考學習。這部論集體現現代《詩經》研究的大體面貌，使我們能夠理解《詩經》研究有何等問題以及學界對這些問題的基本認識。到了文哲所，他又陸續針對不同的主題，編輯出版《中國經學史論文選集》、《朱彝尊經義考研究論集》、《姚際恆研究論集》、《陳奐研究論集》、《通志堂經解研究論集》、《啖助新春秋學研究論集》等書。近期，也針對各經在經學史上產生爭議的最主要問題，邀集二十位臺灣經學研究者撰寫論文，即將出版《中國經學問題論爭史》。這些研究論集，為學者提供全面的研究資料，在此基礎上，能夠做出更好的成果。此外，為了讓年輕人更容易接近經學，他還邀集幾位年輕學者，共同將朱彝尊《經義考》點校出版；又花費五年的時間，將顧頡剛先生未完成的姚際恆著作整理工作，重新整理點校出版。

相同的理念表現在他民國七十六年所編輯的《經學研究論著目錄》，初編收錄了一九一二年至一九八七年，共七十年的經學研究一萬四千餘條條目。有了初編的奠基，二編之後，每一編以五年為範圍，至今已出版到三編，四編即將完成，五編正在進行收錄資料的工作。老師表示，即使退休後，這項工作也有學生會承續下去，不會中斷。此後，林老師又陸續編纂了《朱子學研究書目》、《日本研究經學論著目錄》、《日本儒學研究書目》、《乾嘉學術研究論著目錄》、《晚清經學研究文獻目錄》、《民國經學家著作目錄彙編》等書。其中《日本儒學研究書目》更讓日本荒木見悟教授對林老師感嘆道：「讓一位外國學者來為我們編目錄，我們日本人感到很羞愧。」這是日本學術界有史以來第一部儒學研究書目，給日本學者帶來相當大的震撼。

今天，我們可以輕鬆檢索任何資料，卻很難想像林老師編輯《目錄》當時所處的艱困環境：由於臺灣長期處於戒嚴狀態，大陸出版品嚴禁輸入，擁有大陸出版品的圖書館寥寥無幾，且借閱手續繁瑣困難。加上當時國內並未有較具規模的專科論著目錄，缺乏取資的憑藉，一切只能依賴林老師對經學研究的深廣度與文獻資料的敏銳度。

如果只以「目錄」的角度看《經學研究論著目錄》，它不過是一部專科目錄；如果只是想要針對特定的研究對象查詢，除了《經學研究論著目錄》之外，還有許多其他的文史哲目錄可供選擇。但是，《目錄》的編成，不僅僅是「以後我們查經學資料方便了」這麼單純的結果。

「怎樣的研究才算是經學研究」？「經學研究的範圍是什麼」？在今天，我們可以輕易回答這個問題，但在《經學研究論著目錄》出版之前，我們對這些問題感到有些疑惑，有些模糊，尤其對大陸學者而言，更是難以想像的問題。九〇年代，北京有位大陸學者，就是因為這樣的疑惑，向她的日本同學表示，願意以美金支付，拜託他到臺灣幫忙購買《經學研究論著目錄》。這部《目錄》，以林老師厚實的經學根基做為後盾，告訴我們答案，給我們研究的方向、範圍，甚至，為我們畫出一張視野遼闊的經學史藍圖。

雖然，碩士論文得到屈先生的讚賞，博士論文又成功論證「清學實導源於中明之楊慎考據學的產生時，其學風實承明人而來」這個主張，已經可以證明自己能夠勇敢無懼地走上研究經學之路。不過，這終究是屈先生所給指引出的一條路。編輯出版《經學研究論著目錄》，讓所有研究經學的學者都必須參考這張藍圖，這才是真正使他轉變成一個對經學研究產生巨大影響的開創性學者。

有些人批評老師出書太快、太雜、品質參差不齊。雖然確實存在這些弊病，但都是技術上的問題，而且大部分的失誤都是由我們這些學生所造成。如果我們一輩子立志只鑽研一個特定的主題，就算花個十年八年，都應該小心謹慎，反覆斟酌。但林老師志不在此。如果，我們能夠跳脫只關注一部書的精粗問題，從更高的視野觀看，我們不難發現，林老師所關注的不是個別一部書的好壞，他的視界，是放在整個中國經學史上，超越時間空間的限制，以歷代經學文獻作為立論的根基，以撰作經學史為終極目標。

為了這個目標，林老師用三十年的學術生命布置這個經學環境，他將大部分的時間都花費在經學專題研究、編輯經學目錄、整理經學相關典籍、翻譯日本經學論著的工作上。這些準備工作，他不僅是為了自己，也分享給整個經學界，同時也形成他個人特殊而鮮明的學術研究風格。

「我們的」林老師

做為「我們的」老師，他是一位非常有魅力，甚至該說是個有魔力的人。每當我們懶散或失意灰心的時候，總會跑到文哲所或老師家，與老師說說話，老師永遠讓我們帶著對未來充滿希望的心情與高昂的鬥志，繼續邁步向前。他從不怕學生出錯，放心地交付我們做許多事：整理古籍、編書、協助辦理文哲所經學組的各種研討會；招待外國學者、採訪對學術研究有所貢獻的學者，學習他們成功的因素；鼓勵我們多寫文章，訓練獨立思考，並從中逐步形成自己的研究風格與思想體系；有鑒於日本漢學的重要性，他更要求學生學習日文，以達到不需要藉由翻譯，可以自行閱讀日本漢學研究成果的能力。這大概是做為老師的學生都會經歷的一段磨鍊。

民國九十年，老師得了帕金森氏症。有一天，老師打電話給我，因為師母下午有課，無法陪伴他，又怕他走路跌倒，希望我和另一位同學陪老師到榮民總醫院做檢查。此前，我從學長處約略得知老師可能患了此症。

那是醫生的研究室，下午醫生沒有門診，老師經由朋友介紹，去拜訪醫生。剛開始，醫生頭也不怎麼抬起來，邊看老師的病歷，邊問問題。突然，他有點驚訝地抬起頭來說：「您是中央研究院的研究員？」老師答是。接著，他開始幫老師做各種檢測，並詳細說明這些測驗的用意，也解釋每一種藥的用量、成分與效果。最後，大約是確定了這個病症。我猜想，需要大量用腦力的研究員，這麼年輕就得了這個病，連醫生都覺得惋惜吧。送老師回家的路上，我的心裡感到非常的沉重不安，但老師的表情，像是徹徹底底接受了這個事實。這十幾年來，林老師絲毫不受病症的影響，他仍然做他該做的事，他仍然有數不盡的研究計畫打算進行或正在進行，同時，也督促著他的學生們往前進。

老師喜愛栽培花木，去過他家的人，應該都曾由老師領著賞花，他可以一一細數每一種花的特性與喜好。他自豪地對我說：「如果當初不研究經學，我應該會是個植物學家。」老師對經學的呵護與培植，何嘗不像栽培花木一般呢。

當年屈先生將經學從中國大陸帶來臺灣，中國經學在臺灣生了根，蓬勃發展；如今林老師又將經學傳回屈先生的故鄉。雖然我們不是宿命論者，但我們也無法否認，或許在冥冥之中，自有命運的牽絆。

葉國良教授的治學觀念與教學理念

黃啟書
臺灣大學中國文學系副教授

葉國良教授，臺灣桃園人，一九四九年生。畢業於桃園市東門國小、武陵中學初中部、臺北建國高級中學。一九六七年以第一志願考入國立臺灣大學中國文學系，一九七一年畢業，服海軍預備軍官役兩年。役畢入母系中國文學研究所攻讀學位，一九七八年獲得碩士學位，一九八二年寫畢博士論文，一九八三年通過國家文學博士考試；期間亦擔任該系助教、講師、夜間部祕書、校長室秘書。畢業後任該系副教授，一九八九年升任教授。一九九九年擔任該系系主任六年，現為特聘教授、文學院院長；又曾受邀為東海大學、花蓮師範學院、臺北大學、清華大學兼任教授，以及香港中文大學、捷克查理大學、泰國朱拉隆功大學客座教授。學術專長為經學與金石學，主要著作有：《宋人疑經改經考》、

《宋代金石學研究》、《石學蠡探》、《石學續探》、《古代禮制與風俗》、《千家詩譯注》、《經學側論》、《經學通論》（合著）、《漢族成年禮及其相關問題研究》（合著）、《文獻及語言知識與經典詮釋的關係》（合著），及其他學術及通俗論著數十篇（種）。

一　治學觀念

葉教授就讀小學時便喜歡看書，先是看西洋童話、成語故事等，到了四、五年級以後已覺不能滿足，課後沈迷於閱讀《今日世界》雜誌以及古典小說、詩詞古文，如《西遊記》、《三國演義》、《水滸傳》、《東周列國志》、《鏡花緣》、《千家詩》、《唐詩三百首》、《朱淑真斷腸詩詞》、《古文筆法百篇》等。就讀高中時，往來於桃園、萬華之間，每日須有兩小時通車，在火車上大多閱讀商務印書館人人文庫、世界書局古典小說等書，且試作舊詩詞，逐漸下定決心攻讀中國文學，遂於高二下由甲組轉班乙組，畢業後如願考進臺灣大學中國文學系。在大學期間，不甚注意課業，喜歡雜覽中西文史書籍，並嘗試各種新舊文體之寫作，曾以舊詩及短篇小說獲得該系叢甦文學獎。畢業後考上該系中國文學研究所、通過留學考試，而先行服役，原擬役畢留學以拓展視野，因家庭變故放棄，一九七三年正式進入研究所就讀。在學期間，興趣有所轉變，主要修習《詩經》、《三禮》、金文、青銅禮器之學，一九七八年在屈萬里先生指導下完成碩士論文《宋人疑經改經考》。一九七九年二月屈先生辭世後，則遵循遺命請求孔德成先生指導研治宋人金石之學，一九八三年以《宋代金石學研究》論文獲得國家文學博士學位。畢業後孔先生指示：今人罕治石刻之學，可稍事之。其後十餘年論述遂以石刻為主，先後出版《石學蠡探》（臺北市：大安出版社，1989年）、《石學續探》

（同前，1999年）二書；餘暇亦從事經學及禮俗、文體相關領域的研究，著有《古代禮制與風俗》（臺北市：臺灣書店、1997年）、《漢族成年禮及其相關問題研究》（合著）（臺北市：大安出版社，2004年）、《經學通論》（合著）（臺北縣：國立空中大學，1997年）、《經學側論》（新竹市：清華大學出版社，2005年）等書，以及有關碑誌文、哀祭文、八股文、字說等文類沿革的論文；近年更側重《三禮》的研究，而旁及出土簡帛中相關的資料。其論著以謹嚴見長，不輕易倡議新說；甚至有一文草成，擱置篋中二十餘年而遲未發表者。但若有論述，輒具特見，為人重視。

葉教授對於自己的研究領域有如下主張：承認經書的存在，經學才有生命，所以經學研究以經書的研讀與詮釋為根本，不能只講經學史；若只講經學史，等於否認經學在現今仍具價值，經學將喪失其生命力，經學若喪失生命力，則經學史之研究亦成為可有可無之事。傳統典籍和金石簡帛資料之間有主客之分，傳統典籍是主，金石簡帛資料是客，所以應先熟悉傳統典籍，才具備研究金石簡帛之條件，不宜反客為主，過度強調出土金石簡帛資料的重要性，青年更不宜捨傳統典籍不讀而直接去研究金石簡帛資料。文類之演變，主要受到大文豪的影響，所以研究一種文類的演變，應以微觀之文句剖析為主，才能洞見大文豪之匠意，而了解大文豪影響力之所在，若僅作宏觀抽象之議論，意義不大。

在治學的具體操作上，葉教授重視源流的掌握和貫通，曾說：研治傳統學問必先從研讀經書開始，讀正史必須從《史記》一路往下讀，才能得其原委，而通古今之變。所以葉教授研究金石之學便從該學問始創的宋代開始，循序漸及元明清；研究個別碑誌資料便從始見的後漢開始，循序逐代研讀至清朝止；研究禮俗便從《儀禮》開始，依禮儀項目之不同分項探討，力求始於上古、終於當代。

其治石刻與簡帛，服膺王國維先生所提出之「二重證據法」，重視傳統典籍與出土資料的交互運用。如研究一代碑誌，必先閱讀該代史書，以熟悉當時的人物傳記、禮制風俗，然後解讀石刻資料；之後，再以石刻資料補正傳統典籍。葉教授特撰〈二重證據法的省思〉（見《出土文獻研究方法論文集．初集》，臺北市：臺灣大學出版中心，2005年9月）一文，說明該法的精義及操作程序，並指出王先生曾企圖補充其對「二重證據法」的定義而未果，遂為王先生代補如下（字下加底線者為葉教授所加，餘為王先生原文）：

> 吾輩生於今日，幸於紙上之材料外更得大量地下之新材料。此種材料若非贗品，則我輩固得據以補正紙上之材料，亦得證明古書之某部分全為實錄，即百家不雅馴之言，亦不無表示一面之事實。此二重證據法，自宋代以來已行之，在今日尤得為之，先據紙上材料論證地下材料之真偽與價值，再據同期或年代相近之地下材料補充或糾正紙上材料之闕誤。則雖古書之未得證明者不能加以否定，而其已得證明者不能不加以肯定，可斷言也。

對於如何方能開拓一己的學術領域，葉教授認為：除必須重視方法論外，要能思索出新課題，尋找出新材料。關於新課題，是要熟悉前人已有的成就，找出前人未曾注意或討論尚不充分的問題，思考的面向是考慮如何方能解答問題，所以任何有助益的知識都可利用，千萬不要以當前的學科分類自限；關於新材料，不僅要隨時注意新出資料，更要善於使用久已存在卻未被注意的材料。如漢族禮俗其實雜有許多周邊民族的習俗，須予指出才能更了解傳統文化的特質與內涵，而以往這方面的論述並不充分，故葉教授特撰〈禮俗的融合與轉化：以唐宋婚俗中的異族文化成分為例〉（見《遨遊在中古文化的場域：

六朝唐宋學術研討會論文集》，臺北市：里仁書局，2004年）一文以為例證。又如以往對漢族成年禮各種儀節的演變論述頗為不足，因而與同事李隆獻、彭美玲合作撰寫《漢族成年禮及其相關問題研究》一書，除涉及名之外何以需要取字、禮俗演變與應用性文類的關係、成年禮與容禮的關係等新課題外，使用的知識與材料也包括文化人類學和前人未注意的大量方志，因而對成年禮的各問題、各面向有了更深刻的認識。

葉教授喜讀前人各式筆記，曾對學生提及：前輩學者在研究之心得尚未成熟前，為求慎重，常書諸筆記之中，若干關於文史知識的意見，因較零星，難與其他文類的作品合編，也常載於筆記，若能時常閱讀前人筆記，不只增廣見聞，更有助於啟發研究靈感。也許因此之故，葉教授喜談掌故，而對種姓、官制、度量衡等知識也饒具興趣。

葉教授又鑒於國內學者從事研究往往各自為政，不相聞問，以致內容重複浪費精力之處甚多，因此極力提倡集體研究與合作交流。集體研究方面，曾與同事夏長樸、李隆獻合著《經學通論》，與李隆獻、彭美玲合著《漢族成年禮及其相關問題研究》，與黃沛榮、王博、梅廣、張光裕、楊秀芳、張寶三合撰《文獻及語言知識與經典詮釋的關係》（臺北市：臺灣大學出版中心，2004年），又與鄭吉雄、徐富昌合編《出土文獻研究方法論文集・初集》，等等皆是其例；此不僅能集眾人之力以加深論著的內涵，亦有助於獎掖新進學者勠力研究。合作交流方面，葉教授在系主任任上，除舉辦或合辦十餘次大中型研討會及百餘次海內外學者的學術演講外，也推動與成功大學中文系輪流主辦研討會，互相拜訪切磋，加深南北學者的交流，又積極安排同仁至國外大學講學，成效良好，至今仍持續辦理。在國科會人文處中文學門召集人任上，葉教授也積極安排學者發表研究成果，曾以經學及古典文學為範圍舉行發表會，一次發表論文五十篇，打破該學門的紀錄。又首次為該學門組團出訪外國學術機構，共訪問日本八個漢學重鎮，達成臺日學術交流之目標甚多。

二　教學理念

在教學理念上，葉教授不喜歡好高騖遠的言論，對於現今教育界漠視應用文書教學，甚至以「壯夫不為」自譽的偏執，導致學生會寫論文、作新詩但不會寫信，公務員公文品質低落影響行政效率的情況，甚感憂心。因此基於禮俗研究的學養與長年執行公務的經驗，不辭親自批改大量作業之辛勞，屢屢開設「應用文及習作」課程，除教導學生如何寫作適當的應用文書外，更強調學生要「知其所以然」，以培養日後處理公務、服務社會的較佳能力。又鑒於中文系學生從事研究時，常忽略名物、制度之學的必要性，故開設「文史基礎」課程，教導學生如何掌握豐富之固有文史材料，以善加運用。此外，葉教授更能利用現代科技，如結合現代電子技術，將一九六七年由孔德成、臺靜農兩先生主持《儀禮》復原研究小組之研究成果所攝製而成之《士昏禮》黑白影片，改製為《儀禮士昏禮彩色3D動畫》光碟，廣贈海內外學者，此舉不僅延長該影片之壽命，更能將研究成果廣泛流傳，且開啟了中文學界與科技界合作的先例及完美經驗。

葉教授認為：人文學科最重要的任務是在闡釋和履行人文精神，所謂人文精神，便是增進他人的幸福；不能增進或有損他人的幸福便不符人文精神。增進他人幸福的方式，便是盡一己之力去提升真善美。因此，葉教授對於某些不肯貢獻力量為他人服務的學者不表認同，並認為只重研究不管周遭環境甚至不參加會議或團體活動的態度乃是陋習，所以系、院、校若需其出力，葉教授均不推辭，先後擔任服務性工作甚多。在中文系系主任任內，致力於加強同仁溝通、改善空間，以提供師生較有利於教學研究的環境。在文學院院長任上，更指出培養師生的人文視野與領導能力，乃是行政上的優先項目，而不是只注重課程數量、論著多寡之外在指標而已。首先由加強各系所橫向交流、美化環境、辦理藝文展演、舉行全院旅遊活動、資助弱勢師生經費等項目著手，以蘊釀人文精神，期將文學藝術之美以潛移默化之形式散播於校園之中；另外又聯合文學院十二個系所共同創設「經典人文學程」，分文學、歷史、哲學、藝術、科技與人文五大項，開立三十門以上課程，供全校學生選修，以學理之研習加強學生對人文精神的理性了解。凡此努力，乃期望業已逐漸物化、數字化的校園增添幾許看似無形卻有實效的靈氣，正所謂「人能弘道，非道弘人」。葉教授特別強調，人文學者不應預設有權與社會現實隔離，文學院師生應該關心社會，除了純學術性的教學研究之外，也應運用人文論述和藝術作品去喚醒人性，美化人生，豐富文化，這樣才不枉作一個學人文科學的人。

新儒家的傳承與開展

——楊祖漢教授談哲學思辨對道德實踐的功用

李唯嘉
淡江大學中國文學系博士生

楊祖漢，原籍廣東新會，一九五二年出生於香港。臺灣師範大學國文系及香港新亞研究所哲學組碩士畢業。曾任中國文化大學哲學系教授，現任中央大學中國文學系教授兼文學院院長。著有：《中庸義理疏解》（韓譯本名為《中庸哲學》）、《儒學與康德的道德哲學》、《儒家的心學傳統》、《當代儒學思辨錄》、《從當代儒學的觀點看韓國儒學的重要論爭》等書。

楊祖漢教授早年對牟宗三先生思想多有闡發，希望傳承「新儒家」的思想，讓年輕學人讀懂牟宗三、唐君毅先生的著作。而近年來，楊教授也對之提出修正。例如，牟先生的宋明「三系說」以胡五峰、劉蕺山為「以心著性」系統。但楊教授根據文獻提出不同詮釋，認為蕺山是以心攝性的義理型態。對蕺山而言，有道德心的活動便有性理的存在，仁義禮智是四端之心的別名，即是說心比性更為真實。此並非如牟先生所言，先肯定客觀存在的性體，再以主觀的心之自覺努力以呈現性體的意義。此外，他近來亦從對韓國儒學的研究中，關注到大部分朝鮮朝的儒者並非將朱子學解讀為心與理截然二分的他律思想型態。此一不同的義理詮釋視角促使他重讀朱子的重要文獻，又加上對康德哲學的長期研究而產生的體會，使得他對朱子的思想型態產生了新的見解。

以下就由楊祖漢教授的學思背景開始談起，進一步詳細論述楊教授近年來關注思索的朱子學術問題。

一　學思背景——一個動亂的時代

楊教授在一九五二年出生於香港。據楊教授回憶，一九六〇年代初期，中國大陸因政策錯誤而發生大規模的飢荒，大批難民湧入香港。當時楊教授的兄長在廣東鄉間沒有逃出來。在尋找失散的兄長途中，觸眼所及盡是處境悲慘的難民。而楊教授對於長久統治香港的英國殖民地政府高舉英國文化而貶低中國文化，使得香港充斥著一股崇洋媚外之風的情況尤為憂心。楊教授所處的時代背景讓他開始思考，這一代中國人該如何面對政治與文化上如此苦難的處境。於是，他於香港中學畢業之後，選擇投考師大國文系，到臺灣念書。原因是他認同當時中華民國政府的政策：肯定中華文化，也歡迎僑生來臺灣。楊教授的母親當時力勸他在香港念專上學院，或讀師範學院出來教小學，但他堅持一定要去臺灣。他認為在臺灣可以為國家民族盡一份心力。這樣的選擇似乎不甚聰明。畢竟，一個人的力量能有多大？況且，當時楊教授在師大讀書的時候，正逢臺灣退出聯合國，並且與美國斷交。局勢不穩，前境並不明朗。但是，他認為人生的意義與遭遇，決定於自己的志向。因此，他不僅在大學四年級的時候參與了《鵝湖雜誌》的創辦，而且在師大畢業回香港攻讀碩士之後，最終還是回到臺灣，於學術一直努力不懈，希望能傳承與開展新儒家的思想。

二　沐浴典範——親炙牟宗三、唐君毅先生的風采

楊教授大三寒假回香港的時候，有機會拜見了牟宗三、唐君毅二位先生。他記得，到唐先生家中拜會時，只請教了一、二個問題，但唐先生足足講了一個多小時。楊教授說：「我要告辭的時候，唐先生對我說：『你可以讀書，你的性情很沉靜。』其實，我之所以很沉靜，實在是因為我只講了兩句話就沒有話好講了。唐先生總是往好的方向來看人。」而講到牟先生，楊教授覺得他活出了中國的學問，又對學生全無架子，因此時常旁聽牟先生的課，向他問學。

那時候，是牟先生於香港中文大學任教的最後一年。退休後的牟先生應中國文化大學之邀而回臺講學。由於文大路途遙遠，牟先生便在師大借教室上課，於是楊教授有更多機會親炙牟先生引人入勝的講課，深受大師風采吸引。而當時輔仁大學的同學，如潘柏世、袁保新先生等人，以及教課很受學生歡迎的王邦雄先生，也很受到牟先生影響。一群人因緣際會認識下，時常一起論學，後來成為辦《鵝湖雜誌》的班底。他們合租了一層公寓，牟先生時常跑去找學生們聊天。楊教授說，牟先生是一個真人，他完全不在意那些世俗的考慮、禮數等，喜歡與人論學，勉勵年輕人要有理想。一談起學問，便敞開心胸地詳談。當時楊教授已經熟讀牟先生的獨特見解，會提出問題請教，牟先生總是親切地指點。楊教授那時只是大四學生，已深切感受到從牟先生身上透發出的理智的清明。

而楊教授也提到，牟先生當時對學界，乃至對社會所以產生重要影響力，固然與他自身學問有關，但有一群師大、輔大、以及臺大的年輕同學常聚在牟先生身邊跟隨問學，也是有作用的。當時楊教授代表師大同學邀請牟先生演講，牟先生樂意答應，在師大一共講過四次，把他於香港潛心研究的，關於儒釋道及宋明儒分系等心得以較通俗的方式表達出來。當時的演講並沒有什麼宣傳，只是張貼了一張公告，卻每一場都將師大禮堂的幾百個座位坐得滿堂。

在危疑、前途不明的時代，楊教授看到牟先生有很強的責任感、使命感與道德責任的承擔。一談起學問，又可以引領人到一個很純粹、冷靜沒有雜質的學問境界，表現出一種理智的俊逸與生命的清明。他從中看到一種有意義的，值得人去追求的價值。

三　近年的學術成果——從哲學思辨對道德實踐的功用來看朱子學

朱子學是楊教授重要的學術關懷。楊教授首先從牟宗三先生對朱子的看法談起。從牟宗三先生衡定朱子思想的型態是「別子為宗」，不是儒家正宗，而朱子對東亞的社會影響很重大，這個分判刺激性很大。牟先生所衡定的，即朱子是一個他律道德學，或可說是本質倫理系統。他以為，朱子認為心理為二，要通過「格物窮理」的方法來理解道德的「理」是什麼，這是橫攝系統的義理型態。所謂橫攝系統，就是把道德的理當作一個對象，而通過一種主客認知的方式了解。例如，通過讀書而了解仁、孝，但這種了解不一定能夠產生道德行為。如果面對父母時內心毫無感受，那麼此時對於仁跟孝的了解就只是字面、知識上的了解，並非真正了解仁，而只是一個外在的對象與道理，並非孔門論仁的真義。

按照牟先生的講法，道德的理是什麼，應該在本心良知的朗現下來證，這即是「心即理」之義。例如，孔子對門弟子的指點，仁就是不安、不忍，只有在不安、不忍的感受呈現下，才能知道「仁」是什麼。如果不是本心呈現而有這種感受，則所理解的仁或理，只是一個外在客觀的道理、規則。理的意義一定在感通不隔中才能被明白，牟先生所謂「逆覺體證」就是這個意思。他把這個意思發明為「生命的學問」之說，仁義禮智就在生命中顯，沒有這個生命，沒有感通，就沒有這個道理，這個生命就是真理。這是在孟子為主的心學系統下的講法，即所謂的逆覺體證、直貫創生的系統。楊教授一直十分肯定牟宗三先生這個說法。

但是，如此一來，哲學的思辨，或甚至知性的活動，對於道德實踐、道德心的呈現就沒有本質性的作用。知識對於道德行為的完成當然很重要，但對於道德本心的呈現並沒有本質性的作用，最多只是一種助緣。對此詮釋，楊教授一直感到不安，但牟先生對朱子的重要文獻所做的嚴密深刻而清楚的詮釋，並非能輕易推翻。而楊教授近年一再講授康德《道德形上學基本原理》，對於這個問題產生了不同的看法。他覺得可以借用康德關於道德實踐的見解來詮釋朱子學。康德提出，「必須用哲學思辨於道德的問題上，才可以克服自然的辯證，從而有真正的道德實踐」的說法。楊教授認為，透過這個角度可以使朱子學主敬窮理的工夫對於道德實踐的必要性彰顯出來。這是他最近深感得意的看法。如果藉此對朱子學做出更合理的詮釋，應該對宋明儒的研究有所推進。

楊教授進一步說明康德的道德哲學。康德認為，一般人對於何謂道德法則，以及怎樣的行為有真正的道德價值，是很清楚、不用教的。譬如，人並不能夠為了任何的原因（如繼承家產的考量等等）而做出孝順的行為來，否則這個孝順的行為是沒有道德價值的。由此可知道德法則是無條件的命令，是放諸四海而皆準，不依靠現實經驗、利害計算來建立。雖然一般人並沒有把道德法則從日常生活的經驗抽出來，去深究其中的全幅意義，但是也都有明白的了解。這是第一步。

第二步則要把道德的先驗意義與法則抽出來理解，對它作思辨哲學的思考。這稱做「道德的哲學」，或是「道德的形上學」。康德認為一定要從對道德的一般性理解進到實踐哲學的理解，從通俗的道德哲學進到道德的形上學。這是為了克服人在要求自己無條件地為善時，會產生的「自然的辨證」的現象。當我們要求自己無條件為善時，會看不起、藐視感性欲望的要求。但是，感性欲求是很強的，而為滿足感性欲求而追求利益與生活上的幸福，也不能說不合理。若道德法則要求不顧甚至藐視這些感性欲望，那麼感性欲望便會起來反抗，使我們產生對道德法則的懷疑。譬如，會懷疑道德法則是否有純粹性。由於有這種懷疑，便會使無條件的道德實踐，變成有條件的行善，逐漸為了利益而做不顧道德原則之事。這便不能貫徹原來清楚知道的，衷心願意實踐的道德行為，使得本來清楚的道德意識變模糊了。這就是何以明知道何謂真正的道德行為，但卻不能貫徹到底，不能成為有德者的關鍵所在。這個生命上的問題，即自然的辯證必須克服，否則人無法做長久的實踐。把道德之理的內容全部展示出來，徹底講清楚，人便可以藉著對理的真知消解其中的曖昧不明，以克服康德所謂的自然的辯證。

楊教授認為，康德所說的「自然的辯證」現象是普遍的的生命問題。哲學思辨對於這個問題的消解有重大的作用。如果用陸王心學的發明本心、致良知的工夫，也應該可以克服此一實踐上的困難。但如康德所說的建立道德形上學，對於此實踐問題的克服，可能是更為有效的。一般人都按照道德原則去表現道德行為，但都是習焉而不察。

現在把道德的原理展開來講清楚，可以說是《中庸》所謂的學問思辨的工夫。而伊川、朱子應該就是屬於這個義理型態。

楊教授接著指出，伊川、朱子講「性即理」，可以推出人對於道德的理本來有了解之義。依「性即理」說，理就是我的本性，因此我們對於自己本性的了解就可以不必通過外在經驗。楊教授認為，朱子「格物窮理」也含有這個意思。而伊川、朱子也認為在人對性理有所知的時候，會產生表面雖為善，但暗中卻要滿足自己利益的想法，在好善惡惡時，內心也有不想好善惡惡的念頭產生。朱子這些講法很接近康德所謂「自然的辯證」。同樣的，朱子也強調一定要通過格物窮理，才可以達到誠意的地步。這就是通過對於道德法則的哲學思辨，來克服想從事道德實踐時產生的欲望的反彈。由於用哲學思辨於道德法則的研究上是必要的，而這種作法當然會產生「法則是心知所對的對象」此一情況。但不能因為有這種情況，便判定是把道德法則當做是認識的對象，而非心中本有之理。伊川、朱子的想法可以是根據本有的對道德之理之知，把道德法則抽象出來作更深刻的了解之後，據此認為這樣做才可以有真正的道德行為的出現，而人也才可以成德。楊教授認為，如果上述的分析是合理的，對伊川、朱子的義理型態，就可以做出不同於牟先生的衡定。則主敬窮理便可以被認為是成德之教必要的工夫，而思辨的作用在成德上，也是有其必要的。

楊教授相信，此種理論研究會使我們對於德行的意義，能夠有一個充分的了解。了解到充分的地步，便可以克服上文所說的實踐問題。依朱子的看法，性理是我本有的。因此在格物的過程中，雖然要明的是物之理，但其實外在的物理就是我內在本有的理，明物之理便是明心中本具之理。通過此一過程，便可以加強我對本有之理的認識。伊川說的真知與朱子所說的豁然貫通，都是表示對本有之理之知作進一步的了解，而達到對於理的意義能完全清楚明白的地步。而把理的道德性、無條件性等內容充分說清楚，便越會引發我們的尊敬而趨近道德法則並加以實踐。如果以這樣的方式來解說人認識道德法則之後所產生的作用，則伊川、朱子重視格物致知，強調智的思辨，是可以給出實踐動力的。這亦是他們強調「主敬」的緣故，由知德而引發實踐的動力，便可以解消伊川、朱子的義理系統道德實踐動力不足的問題。

因此，楊教授認為，如此朱子的義理型態雖然跟陸王不同，但並不能據此便作出正宗與別子的區分。兩個型態都是成德之教該有的理論，可以互相補充。或者縱貫與橫攝的區分，還是可以保留的，但縱橫是可以相貫通的。從朱子的型態中，可以看到哲學思辨對於道德實踐是有必要的。如此，似乎不必如牟先生所說，要良知自我坎陷來轉出知性主體。也可以說明讀書明理確實對實踐有幫助的現象。如果只有陸王學的反身逆覺才可以產生真正的道德實踐，則讀書思辨的工夫對於道德實踐就沒有很大的作用了，而這並不合一般人的經驗體會。

目前，楊教授對於自己上述的說法，認為還須要做更多的研究才能證成。牟先生的論證精嚴，或許不易推翻。但是，上述哲學思辨對於理解道德之理的必要性的提出，仍是很有意義的。意即，即使朱子不是這種義理型態，但儒學必須要有這種理論型態，要從這個觀點來思考成德之教的工夫理論。現代是一個重思辨的時代。如果可以說明道德實踐必須要有思辨的加入才能夠貫徹，那麼對於喜歡思辨的現代人來說，將會有重大的啟發。

洞見古今，深識王霸

——訪問林聰舜教授

劉芷妤
清華大學中國文學系碩士

林聰舜教授，國立臺灣師範大學國文學系博士，現為國立清華大學中國文學系教授，曾擔任清華大學中文系主任、《清華學報》主編、普林斯頓大學訪問學者、香港嶺南大學中文系客座教授。研究領域主要為先秦兩漢思想、《史記》、魏晉思想、明清思想。主持過數項國科會計畫，分別為「帝國意識形態的強化：扮演『國憲』任務的《白虎通》思想」、「體制與反體制的論述：魏晉玄學的新考察」、「尋找帝國的第二層穩定機制：陸賈賈誼『逆取順守』觀念新探」、「以史為經：《史記》中的公羊義理」、「《韓詩外傳》的《詩》教：經義表達的一種特殊型態（一）（二）」、「《史記》《漢書》論述漢初諸侯王覆亡緣由之比較」、「楚漢分封與漢初關東王國抗衡中央的社會文化基礎：文化與地域認同的視角

（一）（二）」、「漢初諸侯王、軍功列侯集團與皇權的三角權力關係」、「兵機將略之外：《史記》中名將的政治視野及其成敗（一）（二）」。主要學術著作有《向郭莊學之研究》、《明清之際儒家思想的變遷與發展》、《西漢前期思想與法家的關係》、《《史記》的人物世界》、《《史記》的世界：人性與理念的競逐》、《漢代儒學別裁：帝國意識形態的形成與發展》，另有雜文集《臺灣新統治霸權的形成》。

趨向政治解嚴與學術解嚴的大學時代

林老師大學生涯所面臨的環境雖然閉塞，但自由、多元的學術風氣已悄然成形。就讀臺師大學士班時，見到香港僑生帶來新儒家的著作，倍感新奇，深受唐君毅、牟宗三、徐復觀等人著作的「思想性」吸引，因而對中國傳統思想產生濃厚興趣，幾乎讀盡新儒家的著作，對中國的傳統思想有了初步的瞭解。日後才漸漸察覺自己的興趣與唐君毅、牟宗三等知名學者差異甚大，與徐復觀則有部分相通之處，同樣重視政治、社會等歷史情境與思想之間的互動。當時政府仍實施戒嚴政策，學術環境較為封閉，具有「思想性」的課程以及書籍皆不易接觸，在這樣的背景下，新儒家詮釋傳統的方式顯得相當醒目。林老師後來的研究雖重在處理思想與其背後的權力間的關係，迥異於新儒家學者的論點，但對中國傳統思想的興趣卻是在這樣偶然的機緣裡受到啟發，新儒家學者對林老師的學術之路確有啟蒙之功。

林老師認為那個年代的學生因為熱愛知識，又置身封閉的學術風氣中，只要略有所得便容易自負，經常不滿師長傳授的知識，敢於挑戰權威，林老師就將一位知名的演講者問到怒拍桌子，拂袖而去。後來回想此事，才恍然醒悟由於大時代的政治環境趨向解嚴，衝擊原本保守的學風，從而反映在個人的思想與行為上。當時名義上雖然仍舊是戒嚴時代，實際上已經緩緩走向開放，原本嚴密的體制開始鬆動，威權解體現象也在學術界呈現出來，後生晚輩勇於挑戰政治、學術權威，其實是同樣心態的不同表現。在新知識、新世界觀慢慢滲入學術界的同時，不少莘莘學子的求知熱情被激發，對知識充滿執著與憧憬，彷彿自己理解的一曲之見就是真理，因為年少輕狂，故而對新認識到的東西不見得能完全體悟，但已經知道有一個與自己熟悉的世界截然不同的新天地存在，因此會下意識地回過頭檢視舊的秩序和權威，以做一個時髦的英雄自豪。有破就有立，新的學風也在這個時代緩慢地建立。

從思想與權力關係的角度切入的研究觀點

林老師關心社會脈動的性格很早就顯露出來，到清華任教初期曾經在報紙發表百餘篇評論時事的文章，近年著重探索思想及其背後的權力之間的互動，熱衷於儒學與文化領導權的建立的有關議題，自覺適合做思想史的研究，鑽研歷史情境與知識分子的互動，而不滿足於就單一學術觀念深入分析。這種傾向早在寫《向郭莊學之研究》時便已出現，經過長期的教書、研究生涯後，這樣的想法更為清晰，無論探討的朝代是秦漢、魏晉抑或明清，林老師的目光始終關注著思想家與當時的環境，尤其思想與權力之間千絲萬縷的關聯性。原始儒家本就具有強烈的用世之意，捨之則藏是萬不得已時的選擇，這樣的思想特色決定了儒者必然會設法爭取和權力核心對話與合作的可能性，而在爭取過程中，為了適應當代環境的需求，儒學不免有所調整。漢代皇權獨尊後，儒者也無法如同孟子一般「說大人則藐之」，合則來，不合則去，儒者與當權者的關係更為密切。儒學與體制的關係愈形緊密是帝制中國時代必然的趨向，雖然儒學與體制合作的型態各個時代都略有不同，而且具有理想性的儒者也代不乏人，但總括而言，儒學與體制合作的主流趨勢是不變的。

林老師於〈漢代儒學的一個側面——思想、統治與權力運作〉破題便直言：「由於儒學自漢代後即具有準宗教性的神聖性格，因此儒學運作施行背後隱藏的權力關係很少被明白點破。」又云：「儒學固然有很強烈的理想性格，但也有很現實的一面，歷代儒者往往透過對經典的不斷詮釋，發掘出新的歷史情境需要的思想精義。這是儒學在歷史中的自我調整。」寫叔孫通，曰：「叔孫通是劉邦統一天下後，為漢帝國創設典章制度的重要人物，他的一生體現了儒者如何融入以豐沛草莽幹部為主體的劉邦集團的過程。他擅於改變自己，適應各種時機，當時人稱之為『諛』，卻成功推銷自己的理念，並且把自己與儒生弟子推銷給劉邦，從此儒生大批進入以武人為主的朝廷，分享朝廷的利祿，也為朝廷注入儒家理念。」寫陸賈，曰：「他默認『居馬上而得之』的講法，承認取天下是憑藉武力，放棄了以仁義取天下的先秦舊說；將仁義、《詩》、《書》與歷史教訓結合，並與『以順守之』的觀念結合，將被很多人視為不合時宜、脫離實際的儒學，重新論述為符合漢帝國需要的思想。這使儒學變成具有現實感，能對帝國迫切需要的治國方略提供具競爭力的建言。」寫韓嬰，曰：「韓嬰最了不起的地方，在於他雖是《詩》學大師，古典的研究與傳授者，但他一方面堅持經義，期待改造政治社會；另方面更能審時度勢，深刻瞭解『士』的機會與困境，特別是個別的『士』的無力感。在漢帝國初建，軍功集團掌控朝政的時代，他透過《詩》教『造士』，善用儒士所擁有的知識、道德，建立共同的認同，建構『士』的共同體，轉化出『士』集團堅強的現實力量。這是結合《詩》教、『士』的改造與『士』共同體的建構於一爐的精心設計，代表他對《詩》的精義、教化的理想、『士』的處境，以及『士』擁有的資源有充分的掌握。韓嬰不是一位書齋中的學究，而是一位具有強烈現實感，企圖引領『士』的發展方向，以『造士』的方式改造政治社會現實的傑出經學家。而韓嬰對經學與現實的結合，正是漢代經學家的理想典型。」

論賈誼，論董仲舒，論《白虎通》，論郡國廟興毀，莫不以儒家如何扮演漢帝國的意識形態作為核心議題。

漢代初期，乃皇權、諸侯王、軍功集團三角關係分享權力的局面，皇權尚且無法獨霸，雖然可以對付任何個別的挑戰勢力，但對整體的諸侯王或軍功集團力量卻無力攤牌。七國之亂終結了諸侯王的割據勢力，隨後也終結了軍功集團對行政權的把持，但漢帝國仍有很多大問題亟待解決，而且是由顯性的「瓦解」危機轉變為更嚴重的、隱性的「土崩」危機，這是漢代思想家面對的大問題。漢代儒家的論述，既支持皇權的強化，也要成為防止「土崩」的黏著劑，緩和帝國的矛盾，並扮演意識形態說服者的角色。不諱言，儒家致君堯舜的終極理想從未在漢朝諸帝身上實現，但擔任帝國政治指南的儒學所發揮的作用是極大的，雖然宣帝自言漢家的一貫統御方針是「霸王道雜之」，頗重法家刑名之術，但無可否認的，儒生大量進入朝廷，確實使帝國政治產生改變。第一個帝國秦朝眨眼即滅，漢代士人對帝國的將來憂心忡忡，儒生開始思索如何使國家維持安穩。為了大一統的長治久安著想，君王不僅只採用法家理論，也不忘以儒學建構新的統治秩序，儒生在這一過程中負責提供統治的思想及正當性，也藉著與統治者的合作接收部分的帝國利益，儒生與現實權力間遂有多重的微妙關係。從這樣的角度切入，經常能發現許多從儒學內聖外王著眼的論述所無法企及、無法處理的問題。

一提到魏晉的玄學思潮，許多人皆重視玄學遠離現實的一面，認為玄學以重個性、重玄思、重簡約、重曠達、重形上世界、重言外之意等特色為主，過分強調兩漢到魏晉思想發展上的「斷裂」。然而，把魏晉玄學抽離中國學術主流——儒學發展——來考察，很難解釋何晏、王弼等人的思想在儒學發展史中的地位，也無法解釋大批經學著述與禮學著作完成於此一時代的理由。林老師以為，魏晉六朝人乃是用玄學的方式論述體制的合理性，只是論述的強度不若漢儒、宋明儒。何晏、王弼、向秀、郭象等人，都是用重新詮釋經典的方法論證體制的合理性。於〈王弼思想的一個面向：玄學式的體制合理化論述〉一文中提及：「在魏晉新思潮的氛圍中，我們依然可以看到諸如孔子仍是聖人、經學仍被尊重、儒家倫理仍被強調等現象。這些現象歷來也有不少學者注意到了，但卻無法提出玄風暢行與儒學並存的同條共貫的解釋（認為玄學家將孔子偷天換日，代之以《老》、《莊》之說，是貶低了儒學在玄學思潮中的地位。）因此，本文由『玄學式的體制合理化論述』的角度，重新詮釋王弼玄學，一方面是想對魏晉玄風暢行與儒學並存的現象作出理論上的一貫解釋；另方面則是想把魏晉思想真正融入中國傳統的主流思想——儒學——的發展之流中。如此，可以看出玄學絕不只是脫離現實的學問，也可以看出儒學如何在玄風暢行的氛圍中繼續存在、發展；而王弼的經學成就，也才能有更好的理解。王弼所要合理化的體制，是以儒家倫理與門第的價值觀為核心的維護當時統治秩序的觀念、規範或制度。王弼玄學的基本傾向是超越價值與體制的統一，他透過『崇本息（舉）末』、『貴無存有』的綱領解《老》、《易》，並提出『忘言忘象忘意』的言意理論，順利肯定了體制之本——儒家經典——的地位，並且論證了以儒家倫理為核心，又反映了門第價值觀的體制的合理性，使表面上互相排斥的『無』與結合門第社會要求的儒家倫理，成為相互依存的體用、本末關係。面對天人感應式世界觀的式微，王弼建立了新的天人之學，用玄學式的思考，重新論證了體制的合理性。」儒道的問題，自然與名教的問題，背後所隱藏的，仍是時人對體制、儒家倫理地位動搖的憂慮。此外，林老師也指出，魏晉六朝很多思想都表現「真」與「俗」結合的傾向，郭象注《莊子》，其用心明顯在於調和最高境界與現實的衝突；「解空第一」的僧肇亦然，《肇論》也反映了「即偽即真」、「有無稱異，其致一也」等「真」與「俗」結合的一面。

當然，魏晉玄學也有反體制論述的另一面，阮籍、嵇康是代表人物，他們面對強烈地價值認同危機，以憤激的言行作為反抗的武器，顛覆了體制的合理性。從他們的放達行為中，我們看到了魏晉玄學的另一面，也看到了玄學家深刻的內心世界。

明清學術本就是當時政局的產物，面臨「天崩地解」的大變局，大批遺民們痛苦地反省亡國之因，其思想的警策、深遠程度常令前賢後學望塵莫及，黃宗羲著《明夷待訪錄》，嚴厲批判前朝制度，即為一證，顧炎武、王夫之等人亦不乏針對儒學傳統做出根本性改造的論述。其實何止思想，明遺民的經學、史學、文學都直接受到政權轉移的衝擊。

對學界、學生的建議

在林老師看來，大學做為知識的殿堂，應當是一個琢磨各種問題、交流各式各樣的資訊、允許不同的觀點自由切磋的地方，現在的重點大學過度重視世界排名，為配合評比要求的數據，教授不免犧牲原有的抱負，學校也不免犧牲原有的特色，導致所有的學校千人一面。所謂的大學評比固然有值得參考之處，但放棄大學的理念與教育目標，一味地追求排名，顯然本末倒置。

早期和現在的環境差異頗大，這也直接造成兩代求學風氣大相逕庭，例如以前的師生關係較嚴肅，老師卻較願意對學生付出；現在的師生關係較輕鬆和諧，但老師卻比較少花時間關心學生，這是很可惜的。早期處於資源不多的時代，圖書資源欠缺，所以當時的學生較為珍惜進修的機會，可以為了買書省吃儉用，廢寢忘食；誘惑少，娛樂方式大多簡單健康，像是打球、看電影一類，所以容易專注研究學問，渾然忘我。如今學生們的資訊來源、學習選擇相形之下豐富不少，但生活中充斥的引誘也多，所以顯得有些缺乏定力，虎頭蛇尾，對知識的追求往往意興索然，也比較無法享受遨遊書海的樂趣。

林老師認為當前學子的課題在於培養閱讀的樂趣，以及多方接觸有興趣的課程，從中提昇自己的視野，認識自己的天賦所在，以後不管是升學或就業，都可不斷自我充實，將自己的潛能激發出來。

學問篤實豐厚的季旭昇教授

許秀貞
蘭州國中特教代課教師

一　季教授簡介

季旭昇教授，一九五三年生，臺中人。臺灣師範大學國文研究所博士，臺灣師範大學國文系教授退休，現為玄奘大學教授，又於臺北大學中文研究所教授出土文獻、經學等。

著作有《詩經吉禮研究》（碩士論文）、《甲骨文字根研究》（博士論文）、《青銅器銘文檢索》（合編）、《詩經古義新證》（教授升等論文）、《說文新證（上）、（下）》（並於2010年12月和福建人民出版社合作出版大陸版《說文新證》）、《群經總義著述考（一）上、下冊》、《漢字說清楚》……；並主編《「上海博物館藏戰國楚竹書（一）、（二）、（三）、（四）」讀本》等。

期刊論文有〈上博五慤志考〉、〈說鳌〉、〈從戰國楚簡中的「尤」字談到殷代一個消失的氏族〉、〈從經學及文字學談談上博楚簡的真偽〉等六十二篇；網路論文有〈上博五芻議（上）〉、〈上博五芻議（下）〉、〈上博三周易比卦「有孚盈缶」「盈」字考〉等十九篇；會議論文有〈《上博五・鮑叔牙與隰朋之諫》「乃命有司著作浮」解——兼談先秦吏治的上計〉、〈《詩・衛風・旄丘》「流離」探析——兼談《上博八・鶹鷅》〉、〈《清華簡（一）・耆夜》研究〉等九十三篇；三種單篇論文，總計有一百七十四篇之多。

近年國內及大陸各大專院校、學術機構演講邀約頻頻，有〈國科會計畫寫作申請經驗談〉、〈甲骨文與書法藝術〉、〈詩經興體詩的欣賞兼談一千年來對興體詩的誤解〉、〈漢字教學的繁、簡問題〉、〈兩岸文字趨同化芻議〉等二十三場次；前後陸續著手的研究計畫有：新蔡葛陵簡文字研究、楚系簡帛文字字典基礎工程研究計畫、楚系簡帛文字字典編纂計畫……。

曾參與中華文化總會《兩岸常用詞彙詞典》、三民《國音學》、幼獅《大專國文選》、正中《高中國文課本》及《中國文化教材》、《教育部異體字典》、《教育部國語字典》、牛頓《小牛頓字典》編撰；還曾投入中華電視臺「雞蛋碰石頭」節目中「說文解字」、中華電視臺「每日一字」、《國語日報》專欄「字圓其說」撰稿；並擔任商周出版社「中文可以更好」系列叢書總策畫。

對古文字學、《詩經》有長期而不斷的深入的研究。

二　窮而富足的庭訓教化

四〇年代是一個「吃飽就是最大幸福」的年代，在物資貧窮的眷村——臺中市的紅棉新村裡，誕生一個沒沒無聞的奇才。父母觀念是

「多讀書才有希望，儘管再辛苦都要讓子女唸書」。使他能在書裡悠遊，日後得以脫胎換骨。

他深刻覺得：唸書要唸對性向，只有找到自己的性向，才有可能唸得愉快、唸出好成績。

從小對文字和語言相當敏感的他，雖然沒有人引導，但一看到《三字經》、《唐詩三百首》、《古文觀止》，自己就會不由自主的想去背誦。在青澀的年少時代，他還會抄錄喜愛的新詩慢慢品味和研究，甚至可以隨性創作。在音樂上，他也有天賦異稟，只要把玩過的樂器，假以時日就能奏出好曲子。

在初中一年級的時候，每個星期五，他都會到臺中一中的圖書館，滿心歡喜的翻開新生報的「祝祥篆刻」專欄，把那些篆文用心描摹在筆記本上，毫不間斷的抄了一整年。那時的他並不懂篆刻，但是，他沒來由的喜歡上這些篆文。後來他漸漸才明白，這就是他極其鮮明的性向表現，更是未來在文字學上綻放光芒的開始，也是和無數莘莘學子結緣的風箏線。

三　廣而熱切的探索

（一）與魯實先先生結緣

進了臺灣師大國文系的季老師，立即參加了國樂社和噴泉詩社；那時的他最喜歡上余培林先生的大一國文，以及陳致平先生的史記，以為這些是他最感興趣的。到了大二，遇到魯實先先生教授文字學；在魯先生的講授中，季老師真正感受到「解釋一字即是作一部文化史」（語出陳寅恪復沈兼士函）的真義。在第一個星期，當聽完魯先生的課程之後，回到宿舍立即把一年多所買的那二、三十本新文藝書籍全部丟掉，立志從此追隨魯先生學習文字學。魯先生的鄉音極重，同學多半聽不懂，他卻能一聽就懂，這完全得力於從小住在多語的眷村，以及他對語言的興趣。

魯先生之所以學問淵博、授課精彩，據說是年輕時立志讀完《四庫全書》，並且仔仔細細地做了筆記，因此於學無所不窺，加上勤奮用功，所以任何一個科目，到了魯先生手裡，都變得高明精彩，發人深省。當然，最吸引季老師的還是他的文字學。

季老師回憶著說，當時有一位較年長的旁聽生，常常在下課後問魯先生：「這個字您去年不是這麼講的？」魯先生常哈哈大笑：「我改了！」魯先生極用功，研究學問與時俱進，因此常常以今日之我否定昨日之我，這是魯先生的真精神。

用功的季老師聽過魯先生的「史記」、「文字學」特別班；並在大四時，由於李壽林學長的推薦住進了魯先生家。魯先生每年供應一個學生免費食宿，不需做任何事，只要學習他怎麼讀書。每天晚上季老師睏極上床了，魯先生仍然精神抖擻地坐在桌前研究；早晨天未亮他緊張地醒來，魯先生早已坐在桌前研究了。住在魯先生家的那段期間，季老師沒看過魯先生上床睡覺；他親眼見識到，古人所謂「頭懸樑、錐刺股」的奮發讀書，這種研究精神影響季老師一輩子。

（二）決心攻讀研究所

大學畢業後，季老師回臺中老家附近的雙十國中教書，那裡的同事和善，學生普遍都很乖，收入也不錯。要放棄這麼安逸的生活去唸研究所，必須要有決心和很好的規劃。季老師的父親告訴他：「要唸，就要唸第一名，才有前途。」因此從一九七九年起，他展開地毯式的唸書法，綿密深入，一字不漏的精讀。唸書時，縱使家人在客廳看電視歡笑震天，他也絲毫不為所動；展現如同管寧「同席讀書，有乘軒冕過門者，寧讀如故」般的定力，也深刻體會到只要決心夠，這是可以做到的。放榜後，他以榜首考上臺灣師大國文研究所碩士班，同時臺大也上榜。經過反覆的思考及學長康世統先生的分析，最後季老師選擇了師大。

進研究所後，季老師學著魯先生的精神唸書研究，向每一位師長學習，受益良多。師長們也都很愛護他，在碩三快畢業時，由於王關仕先生的介紹，進中山女中任教；在博三的時候，因為陳新雄先生、李鍌先生的提攜，黃錦鋐先生的愛護，使踏實穩健的季老師進了師大任職。

碩士班時，因為魯先生已經過世了，季老師不太可能研究文字學，所以他從周何先生學習，碩士論文題目是《詩經吉禮研究》；因為周先生的博士論文是《春秋吉禮考辨》，所以他是站在巨人的肩膀上攀升，論文便寫得很愉快，自覺收穫豐碩。

季老師宣稱，他大學時代曾是疑古學派的粉絲，他常常抱著盜印版的《古史辨》狂Ｋ；上《詩經》課時，老師採用朱熹的《詩集傳》，他卻同時拿著姚際恆的《詩經通論》欣賞姚際恆批朱熹。《古史辨》的「無徵不信」、胡適的「拿證據來」，對傳統學術的摧朽拉枯之功，讓年輕氣盛的他覺得痛快淋漓。進了碩士班，對《詩經》及禮學進行了較深入的研究，讀了一點書，才知道疑古學派對古人的「無徵不信」，其實是頗為蠻橫不合理的；他常常舉例，胡適的父親是胡傳（鐵花），在胡適的年代，胡適要證明他的父親是胡傳，其實是有點困難的，所有的證據都可以用疑古學派的方式去質疑！這時，周先生給他最大的指導是「無徵不疑」，適時地點醒了季老師當時似野馬般的狂放，甘於銜鐵佩韁，向著三千年的傳統鍥而不捨地奔馳。

四　深而專精的學術成果

（一）撰寫《詩經古義新證》

碩士一畢業，好學不倦的季老師旋入博士班就讀，他決定走回他的最愛——文字之學，並以「甲骨文字根研究」為博士論文題目；這個題目要求把每一個甲骨文分析到最小的成文單位，最後得到四百六十九個字根。這是個非常紮實而基礎的工作，可以對甲骨文字得到最全面的認識。這個階段，周何先生給了他最寬廣的研究自由，讓他轉益多師，可以在一八九九年以來的甲骨叢林中隨意造訪，恣情採擷。他從最接近造字時期的成熟文字——甲骨文中，深切的體認到了魯先生當年獲睹造字奧祕時的興奮。

當博士畢業之後，優遊在字海中的季老師即追隨周先生做研究計畫，他做了三年文建會補助的「金文單字引得」；在第四年就由他義務總其成。這個繁重的工作，使他對周代金文不僅有了足夠的訓練，還紮下了穩固的根基。

孔子以六經授徒的年代，書寫六經的文字應該是直承西周文字的「春秋金文」之類的字體；學問日益豐厚的季老師有了《詩經》和金文的訓練之後，把二者結合起來，他開始對《詩經》有很多想法。最奇妙的是：這些建立在古文字與考古的基礎上的想法與結論，有不少居然能支持《毛傳》、鄭《箋》、《詩序》的極其古老的舊說。這時，季老師已過了不惑之年，每天都覺得文思泉湧，上一篇論文還沒寫完，下一篇已經醞釀成熟，等著要寫了。他把這一系列的文章集結後，名為《詩經古義新證》，師長、朋友們讚許為繼承于省吾、聞一多，給了他很大的鼓勵。後來這本厚實的著作不但獲得八十四年度國科會獎助，一九九九年還獲得中國大陸中國詩經學會「中國詩經學會第一屆中青年優秀研究成果評獎」一等獎第一名。

（二）投入戰國文字

在《詩經古義新證》撰寫完成的前三年，《包山楚墓》已經出版，引起學界震動，但由於內容與傳世典籍的關係不大，對文字考釋也莫衷一是，所以還沒有讓悠遊於甲骨金文的季老師動心。當一九九八年，《郭店楚墓竹簡》出版，全書一開始即是三篇《老子》，另有〈緇衣〉以及其他儒道文獻。全書印刷精美，竹簡文字娟秀，內容之精彩，讓季老師愛不釋手、目眩神迷；在幾經琢磨後，他寫下了第一篇戰國文字研究的文章：〈讀郭店楚簡札記——卞，絕為棄作，民復季子〉，指出今本《老子》的「民復孝慈」當為「民復季子」之誤。從此，他開始努力研讀戰國文字材料，毅然決然投入戰國文字的研究。

二〇〇一年，《上海博物館藏戰國楚竹書（一）》出版，內容更是舉世震撼；有《詩經》類的〈孔子詩論〉、有《禮記》類的〈緇衣〉、有儒家類的〈性情論〉。其竹簡彩色印刷，圖形原寸放大，以掃描器掃描後，放在電腦中仔細辨識，二千三百年前的字迹纖毫畢現，字體結構清晰無訛。加上與傳世文本相對比，文字考釋的可信度大幅提高，考釋後的學術價值也比已往所出的卜筮祭禱簡要高很多。季老師了然於心，很清楚地知道：文字學研究的戰國時代要開始了。

學習戰國文字很辛苦，戰國文字字形變化幅度很大，各家異說又多，文字典籍功力不夠的話，很難判定那一種說法才是對的。從《上海博物館藏戰國楚竹書（二）》出版後，為了便利後人研究，季老師一方面指導研究生從事戰國文字的研究，另一方面著手編寫《上海博物館藏戰國楚竹書讀本》，那時雙管齊下，做得實在辛苦，但是心中卻覺得很充實愉快。

（三）撰寫《說文新證》

就在全力衝刺、意氣風發的時候，經過深思熟慮，季老師為了完成自己一輩子的理想，下了一個決心，慢慢退出事務，長時間埋首在研究室，撰寫《說文新證》。

以古文字的研究成果校訂《說文》，是很多古文字學家的理想。從清代的金文大師陳介祺開始，就有志完成《說文統編》（見陳介祺為吳大澂《說文古籀補》序）；羅振玉也有這個志向，但都因為時機不成熟而告作罷。魯先生生前念茲在茲的也是校補《說文》，當年季老師住在魯先生家時，每天看著魯先生伏案寫作《說文析義》，一直到他去世都還沒寫完。一則是因當年古文字出土的總量還不夠，以那些古文字不足以全面補正《說文》；另一個原因是當年的工具還不夠理想，全憑手寫，費日耗時，皓首窮年，不知何時才能完成。

季老師投入了大量的時間在研究上，扣掉累積資料的時間不計，光是撰寫《說文新證》就足足花了他五年的時光。為了把字形處理得更清楚漂亮，以便於初學者學習，所以他把古文字字形都整修得乾乾淨淨。但這一個好意，卻讓他的右手食指受傷，長期疼痛至今，無法根治。所幸書成之後，頗受各界好評。並於二〇一〇年十二月，在福建人民出版社出版了大陸版《說文新證》。

五　仁而無悔的展望

季老師即將要進入耳順之年。季老師感念上天厚愛，讓他能活在一個承平的時代，不必為了活命而出賣什麼；讓他有敦厚正直的父母，教導他勤奮努力，掙取自己的未來；讓他在每一個階段都有貴人指引，使他能平順地發展自己的興趣。

季老師會一直在《詩經》與文字、古文字的領域研究下去，與時俱進，對學界盡他個人該盡的責任。

李明輝教授與比較哲學

彭國翔
浙江大學人文學院求是特聘教授

從事比較哲學的一個基本前提就是對於比較的雙方（或多方）都必須真正鞭辟入裡，否則難以真正有所成就。但如何真正落實這一點，其實並不容易。與其抽象地討論，不如以一些卓有建樹的學者為例來加以說明。在筆者看來，李明輝教授即是比較哲學領域的佼佼者之一。

李教授一九七五年畢業於政治大學哲學系，後考入臺灣大學哲學研究所，一九八一年獲碩士學位，旋赴德國波昂大學留學，一九八六年獲哲學博士學位。現任中央研究院中國文哲研究所研究員，臺灣大學合聘教授。著有《儒家與康德》、《儒學與現代意義》、《康德倫理學與孟子道德思考之重建》、《當代儒學之自我轉化》、《孟子重探》、《儒家視野下的政治思想》、《四端與七情：關於道德情感的比較哲學探討》、《儒家思想在現代中國》（德文）、《儒家人文主義：跨文化的脈絡》（德文）等。編有《孟子思想的哲學探討》、《李春生的思想與時代》、《當代新儒家人物論》、《牟宗三先生與中國哲學之重建》、《儒家思想在現代東亞：總論篇》、《中國經典詮釋傳統（二）儒學篇》、《儒家經典詮釋方法》等。譯有《康德純粹理性批判導讀》、《通靈者之夢》、《道德底形上學之基礎》、《康德歷史哲學論文集》、《未來形上學之序論》、《道德底形上學》等。

一　深入西方哲學堂奧

和中文世界的「西方哲學」研究不同，自有「中國哲學」這一觀念和相應的學科建制以來，中國哲學研究就不是一個僅限於「中國哲學」的孤立行為，而是始終處在與西方哲學的關係之中。換言之，可以說「中國哲學」一開始就是某種比較哲學。迄今為止，無論就古典研究還是理論建構來說，在中國哲學領域取得巨大成就的前輩與時賢，幾乎無一不對西方哲學傳統有深入的瞭解與吸收。在一定意義上，對西方哲學造詣的深淺，直接影響「中國哲學」的詮釋與建構，而李明輝教授對於西方哲學，尤其康德哲學的瞭解，可謂深入堂奧。

首先，其博士論文「Das Problem des moralischen Gefühls in der Entwicklung der Kantischen Ethik」（《康德倫理學發展中的道德情感問題》，該論文一九九四年由中研院中國文哲研究所出版了德文本）即專門探討康德哲學中的道德情感問題。與一般僅在西方哲學或康德哲學脈絡內部研究康德不同，該文一開始即帶著中國哲學的問題意識。這當然是受到牟宗三先生的影響，因為牟先生曾據孟子學的傳統指出道德情感不必只是經驗層面的東西。李教授的博士論文，正是在這一問題意識之下對康德道德情感問題進一步的深究精察。

其次，李教授還有其他對於康德哲學的專論。比如〈康德的《通靈者之夢》在其早期哲學發展中的意義與地位〉（收入其《通靈者之夢》中譯本）、〈《道德底形上學之基礎》一書之成書過程及其初步影響〉（收入其《道德底形上學之基礎》中譯本），〈獨白的倫理學抑或對話的倫理學？——論哈柏瑪斯對康德倫理學的重建〉（收入其《儒學與現代意義》，文津，1991）、〈康德的「歷史」概念及其歷史哲學〉（收入其《康德歷史哲學論文集》中譯本）、〈康德的「道德情感」理論與席勒對康德倫理學的批判〉（收入其《四端與七情：關於道德情感的比較哲學探討》，臺大出版中心，2005）、〈康德的「何謂『在思考中定向』？」及其宗教哲學意涵〉（《國立政治大學哲學學報》第29期，2013）等論文。

第三，李教授還直接從事了許多康德學的翻譯工作，這種工作其實也正是深入康德的一個過程與途徑。康德本人的著作，李教授翻譯了《通靈者之夢》（聯經，1989）、《道德底形上學之基礎》（聯經，1990）、《康德歷史哲學論文集》（聯經，2002）、《未來形上學之序論》（聯經，2008）、《道德底形上學》（聯經，2015）。西方一些有影響的康德研究著作，李教授的翻譯則有L. W. Beck的〈我們從康德學到了什麼？〉（《鵝湖月刊》第89期，1982）、H. M. Baumgartner的《康德「純粹理性批判」導讀》（聯經，1988）及Günther Patzig的〈當前倫理學討論中的定言令式〉（收入其《道德底形上學之基礎》中譯本）等。

上述三個方面，都堪稱西方哲學的專業研究。就西方哲學研究本身而言，均有其獨立的意義。不過，李明輝教授並不限於西方哲學自身的視域。正是這些看似屬於西方哲學內部的專業研究，為其中西哲學的比較研究奠定了堅實的西方哲學方面的基礎。

二　緊扣中國哲學文獻

不論在兩種哲學傳統還是在多種哲學傳統之間從事比較的工作，必有賓主之分。也就是說，其中必有一種從事者最為熟悉的哲學傳統，構成其進行比較工作之「宗主」。這種「宗主」，可謂比較哲學工作的「道樞」和「環中」。而所謂「最熟悉」，兼指知識的掌握與價值的認同兩者而言，或至少具備前者。在現實的比較哲學領域中，從事者也大都有所「主」，不歸於此則歸於彼。對中西哲學比較來說，要麼以「中」為主，要麼以「西」為主。李明輝教授中西哲學比較中的「宗主」，至少就價值認同而來，則更多地在中國哲學。

就此而言，對西方哲學的深入瞭解，只是中國哲學研究或中西哲學比較的必要條件，如缺乏對中國哲學文獻的深度解讀，難免削足適履，將中國哲學的文獻塞入西方哲學的觀念架構，無法觸及中國哲學自身的義理系統。因此，具備良好西方哲學訓練的同時，還必須能夠深入中國哲學的文獻，緊扣文本，尋其固有的義理脈絡而行，所謂「批大郤，導大窾，因其固然」，方可在「援西入中」的「雙向詮釋」過程中，不致流於單向「格義」的「以西解中」。

牟宗三先生晚年曾反覆強調所謂「文獻的途徑」，即強調中國哲學研究必須基於文本的深入細緻解讀。作為牟先生的高足，李明輝教授對此必定早有充分的自覺。而其相關的研究，對此更有充分的反映。譬如，《孟子》「知言養氣」一章自古迄今號稱難解，李明輝教授在其〈《孟子》知言養氣章的義理結構〉一文（收入其《孟子重探》，聯經，2001）中，則梳理古代各大注家的解釋，辨析現代相關學者的論證，結合文字訓詁與義理分析，對該章的思想蘊涵進行了細緻入微的解說。其分析與論證步步立足文獻，如抽絲剝繭，環環相扣，不能不令人信服。

限於篇幅，這裡只能聊舉一例。事實上，在其〈孟子王霸之辨重探〉、〈焦循對孟心性論的詮釋及其方法論問題〉（以上二篇收入其《孟子重探》，2001）、〈劉蕺山對朱子理氣論的批判〉、〈朱子的「仁說」及其與湖湘學派的辯論〉、〈劉蕺山思想中的「情」〉（以上三篇收入其《四端與七情：關於道德情感的比較哲學探討》）、〈朱子論惡之根源〉（《國際朱子學會議論文集》，1993）、〈劉蕺山論惡之根源〉（《劉蕺山學術思想論集》，1998）、〈《論語》「宰我問三年之喪」章中的倫理學問題〉（《傳承與創新：中央研究院中國文哲研究所十周年紀念論文集》，1999）等一系列論文中，這種對於中國哲學文獻及其義理的深度契入，所謂「牛毛繭絲，辨析毫芒」，均觸處可見。而這種對於中國哲學「直入塔中」而非「對塔說相輪」的學術態度和修為，尤其值得如今一些西方哲學出身的比較哲學研究者反省和借鑒。

三　游刃於中西哲學之間

在具備西方哲學深厚素養的同時，以中國哲學為「宗主」，緊扣文獻，從而充分把握中國哲學固有的問題意識，如此方可在西方哲學與中國哲學的比較研究，尤其是運用西方哲學作為詮釋中國哲學的思想資源時如「庖丁解牛」。李明輝教授之所以能夠在比較哲學領域中顯示出少見的遊刃有餘，正源於此。從第一部比較哲學著作《儒家與康德》（聯經，1988）到《康德倫理學與孟子道德思考之重建》（中研院文哲所，1994），以及一些相關的論文，那種遊刃有餘都有鮮明的體現。

如何在中西哲學之間左右逢源而不單向地「以此觀彼」或「以彼觀此」，我們不妨以有關「超越」與「內在」的討論為例加以說明。

認為中國哲學的一個根本特徵在於「內在超越」，是現代學術建立以來許多中國哲學家在中西哲學比較眼光下的一個洞見。對此，一些學者有所質疑。從西方哲學傳統主流的角度來看，「超越」與「內在」有其特定的涵義，對「內在超越」說的質疑並非毫無道理。而李明輝教授先後發表的兩篇專論：〈儒家思想中的內在性與超越性〉（收入其《當代儒學之自我轉化》，中研院文哲所，1994）和〈再論儒家思想中的「內在超越性」問題〉（《第三屆國際漢學會議論文集：中國思潮與外來文化》，中研院文哲所，2002），既有效地回應了質疑，消解了至少在中國哲學語境中「內在」與「超越」的矛盾，又使前賢的洞見獲得了具體充分的展開。在這兩篇論文中，李明輝教授兼顧中西而又不偏於一方的造詣，可以說得到了充分的顯示。

只有對中西哲學雙方都能「深造自得」，才能做到「左右逢其源」。而在中西比較哲學中達到「左右逢源」的境界，除了對中西哲學傳統雙方都要「入乎其內」之外，還需要充分自覺的方法意識。在〈中西比較哲學的方法論省思〉（臺大《東亞文明研究通訊》第三期，2004）中，李明輝教授就具體表達了他對於從事中西比較哲學的方法論思考。其中諸多看法，例如必須正視概念在不同語言脈絡中的轉義，以及當在概念的「脈絡化」和「去脈絡化」之間的張力中謀求「超越客觀主義與相對主義」等等，對於比較哲學來說，都可謂真知灼見，足資玩味。

四　從中西到中韓

作為牟宗三先生的高足，李明輝教授自然深受牟宗三先生的影響。如果說圍繞康德哲學和儒家哲學進行的一系列比較哲學研究構成對牟宗三先生許多睿識洞見的進一步深細的展開，那麼，在儒學話語內部對於中國宋明理學和韓國儒學的比較研究，則意味著對牟宗三先生治學方法和精神的發揚。

原創性的哲學研究，常常來自於對以往乏人問津的重要文獻的詮釋。牟宗三先生對於胡宏、劉宗周等人的詮釋之所以為宋明理學研究開闢了新的方向和領域，即是如此。而將這種「文獻的途徑」擴展到韓國儒學的文獻，直接處理韓國儒學的第一手文獻，從而致力於中韓性理學的比較研究，則既可謂李明輝教授對牟先生治學方法的伸展和落實，更意味著他在中西比較哲學之外另闢了自己的一塊學術園地。

自二〇〇四年以來，李明輝教授已經發表了一系列有關中韓儒學比較及韓國儒學的專題論文。與其中西比較哲學的若干成果一道，這些中韓比較哲學的成果，有相當部分輯入其《四端與七情：關於道德情感的比較哲學探討》一書。僅就題目而言，該書似乎回到了作者博士論文時期的主題，但中韓比較哲學的豐富內容，卻使得道德情感的哲學問題在中、韓、西三方的深度互動中獲得了極大的拓展。

韓國儒學歷史以朱子學為重，《四端與七情》一書韓國儒學的部分亦以朱學為主。但最近，李明輝教授又將研究擴展到了韓國陽明學的範圍，其〈鄭霞谷對四端七情的詮釋〉一文（韓國《陽明學》第17期，2006）與〈韓儒韓元震對王陽明思想的批評〉（《第四屆國際漢學會議論文集》，2013），對於韓國陽明學重鎮鄭霞谷的研究，正是這一動向的反映。

五　文化與價值關懷——比較哲學的動源

幾乎和純粹的比較哲學研究同步，自一九九〇年以來，李明輝教授還不斷發表了其他一系列的著作，如《儒學與現代意識》、《當代儒學之自我轉化》、《儒家視野下的政治思想》（臺大，2005）、

《儒學人文主義：跨文化的脈絡》及〈「內聖外王」問題重探〉（中研院文哲所「理解、詮釋與儒家傳統」國際研討會，2006）。在這些著作中，儘管也隨處可見其比較哲學的功力，但更多的卻是其文化與價值觀懷的集中反映。

比較哲學的動力來源可以是單純哲學的興趣，但是，在比較哲學領域內能有更大成就的學者，其比較哲學工作的「源頭活水」，往往更在於文化與價值的關懷。換言之，只有具備文化和價值上的深切關懷和堅定信守，其理論工作方能獲得源源不斷的動力，不至於「其流不遠」。從上述這些著作可見，李明輝教授也正是這樣一位具有極強文化與價值關懷的學者。由此，我們可以相信，在比較哲學的領域，其深沉明晰的哲學思考，必將凝結為不斷的累累碩果。

黃忠慎教授的《詩經》研究之路

張政偉
慈濟大學東方語文學系副教授

自古以來經學研究沒有早秀的天才，尤其在歷史的間距與前人龐大的研究成果堆疊之下，這門學問需要大量的知識積累才得以一窺堂奧。今日有資格稱為經學專家者，除了投注大量時間與精神之外，更要有一定水準的學術著作獲得學界稱道。在臺灣《詩經》學研究圈中，能稱為「專家」者不多，其中國立彰化師範大學國文學系黃忠慎（1955～）特聘教授毫無疑問地可當此稱號。黃教授獲得博士學位後迄今二十餘年，專研《詩經》和《詩經》學史，已出版相關專著八種，論文數十篇，頗獲國內外學術界肯定。

黃忠慎教授，在國立政治大學中國文學系取得學士學位（1977），後師從胡自逢教授，以《尚書洪範研究》一書取得碩士學位（1980）。接著，考入博士班，師從王靜芝（1916～2003）、李威熊（1941～）教授，以《宋代之詩經學》一書取得博士學位（1984）。服完預官役進入靜宜大學中文系擔任副教授（1986～1991）。民國八十年進入國立彰化師範大學國文學系任教，以《惠周惕詩說析評》（臺北市：文史哲出版社，1994年）一書，獲得行政院國家科學委員會優良研究獎（1994），並以此書榮升教授。本書對清儒惠周惕（1646～1695）的《詩經》學作深入探究，並進行評價與定位，為學界第一本對惠周惕進行單經研究的專書。從此書可看出黃教授對學術研究的嚴謹與審慎，在引證方面羅列援用所有相關資料，極其詳備；在論述方面有條有理，但求有據，不作空言。本書展現出來的研究方法與論證過程，至今仍是許多研究生學習的模範。

在臺灣學界有許多學者升等成功後，因無評鑑壓力，或是雜事紛沓，分身乏術，因之在學術研究方面不若之前積極，成果乏善可陳。黃教授與之相反，他的學術成果的數量與質量上，在升等教授之後有大幅度的跨越。

黃教授在升等之後，對過去的學習歷程進行反思，並且積極規劃未來的研究目標與方法。黃教授自言那時讀到清末嚴復（1854～1921）對西方學術與中國傳統交融的意見：「果為國粹，固將長存。西學不興，其為存也隱；西學大興，其為學也彰。」深為震撼，思慮長久後終有定見。他認為引進西方學術，並不是將中國傳統學術硬塞進去，更不是濫加比附，隨意合說，而是審慎借用西方學術的長處，立足於固有學術，建立一個具有特色，合乎現代規範的學術體系。所以，以西方學術範型為基點，將傳統學術對應參照，這應是中國傳統學術現代化的一個可行途徑。因此黃教授持續《詩經》與《詩經》學史的研究工作外，也投注相當的心力在「西方詮釋學」與「歷史哲學」的閱讀上。

經歷長時間的反思與閱讀後，黃教授出版《朱子詩經學新探》（臺北市：五南圖書公司，2002年）一書，令學界訝異的是本書對其博士學位論文《宋代之詩經學》與後來出版的《南宋三家詩經學》（臺北市：臺灣商務印書館，1988年）中對朱子的《詩經》學觀點，做出大幅修正，而給予全新的定位與評價。中文學界有許多學者將自己的博士論文作為未來學術研究的基礎，此後一生多以學位論文的相關論點加以鋪陳增強，鮮少有人會如此大張旗鼓地出書推翻過去學位論文的觀點。黃教授於此充分體現梁啟超（1873～1929）所言「不惜以今日之我，攻昨日之我」的求真求是之學術精神。

民國九十一年至一〇三年間，黃教授連續十三年申請國家科學委員會專題研究計畫案，研究對象為清代與宋代的《詩經》學者，所有計畫案都獲得通過，這在中文學界中是相當難得的榮譽，也代表黃教授之研究成績備受肯定。黃教授非常珍惜計畫案資源，積極撰寫多篇學術論文，並出版專書。其中最引人矚目的就是這些研究運用西方學術理論，妥適地解釋研究對象的定位與意義。另外，這些成果展現出黃教授對《詩經》研究的多元論述能力。也可看出他長期以來堅持未來的《詩經》研究必定走向多方法論、多學科整合、多層次的研究，以拓展《詩經》學的研究領域，也可以讓各種學科的基礎研究得以實際應用。

藉由國科會獎助資源，黃教授積極對《詩經》學史的問題展開細緻而富創新意義的研究，並且發表多篇論文。如〈清代中葉《毛詩》學三大家解經之岐異——以對〈詩序〉、《毛傳》、《鄭箋》的依違為考察基點〉（《國文學誌》第6期，2002年12月）對清代中葉《毛詩》學名家馬瑞辰（1728～1853）、胡承珙（1776～1832）、陳奐（1786～1863）三人的治經特色與其在經學史上展現的意義頗有一些重要的發現。本文最重要的論點以為三人的著作不僅是清代經學「新疏」的代表，更可視為清代「漢學」與「宋學」、「古文」與「今文」的爭鬥壓力下的產物。本篇也是學界首篇將這三位清代中葉《詩經》學名家放置同一天平加以考察的單篇論文，徵引者頗多。另一篇為〈馬瑞辰《毛詩傳箋通釋》對通假字的判讀問題〉（《彰化師大文學院學報》第2期，2003年12月），討論馬瑞辰《毛詩傳箋通釋》對經文傳注的假借判讀問題，並指出馬瑞辰是首位全面性地藉由通假的判讀以釐清《詩經》訓詁釋義的學者，其開創性之意義值得我們重視。本篇展現出黃教授精深的訓詁考據功力，論述翔實有據，補充馬瑞辰在《詩經》學史上的評價過簡的缺陷。近作〈馬瑞辰毛詩傳箋通釋雜考各說三文析論〉（排版中，2008年11月）則論述馬瑞辰研究《詩經》的主要方法與觀念，本文距離該研究計畫案已經五年，然而黃教授依舊將這幾年對馬瑞辰學術成績的思考撰寫成文，展現出學術研究的積累工夫。更重要的是黃教授不因為研究計畫案已經結案便停止研究，其對學術不計現實利益而真心投入，於斯可見。

黃教授為學注重反思，勇於創新，如〈王夫之詩經學新探〉（《國文學誌》第8期，2004年6月）不僅討論王夫之《詩經》學，更由其中發現王夫之（1619～1692）治學有「漢宋分治」現象，以此解釋王夫之於後代的影響。另外有〈典範的選擇—論王夫之學術地位的升降〉（《彰化師大文學院學報》第3期，2004年12月）則是利用湯瑪斯．孔恩（Thomas S. Kuhn, 1922～1996）的「典範」理論與伽達默爾（Hans-Georg Gadamer, 1900～2002）在《真理與方法》中（Truth and Method）提到的詮釋學觀念，分析王夫之學術地位升降的形成及原因。民國以後的學術史將王夫之的學術地位提升至與顧炎武（1613～1682）與黃宗羲（1610～1695）並列，並稱此為「清初三大儒」，學者對王夫之的學術成就禮敬有加。但是黃教授不僅對於學術史的敘述提出質疑，更進一步分析背後的成因。黃教授這兩篇關於王夫之的論文指出：王夫之與另外兩位先生的學術成就並不相稱。並且由歷來學者試圖形塑王夫之為學術典範的過程來看，其中雜有許多時代風氣與學術環境的變化的影響，甚至學者個人的偏好及所謂的鄉黨觀念的因素深深介入其中。這兩篇論文擲地有聲，引起許多學者關注。

黃教授對於《詩經》學中所謂新舊兩派的爭議有獨到見解。如其〈姚際恒、崔述、方玉潤的說《詩》取向及其在學術史上之意義〉（《臺灣學術新視野：經學之部》，臺北市：五南圖書公司，2006年11月）以為姚際恒（1647～1715）、崔述（1740～1816）、方玉潤（1811～1883）的確有其獨特一面，然而尚未擺脫傳統詩教觀念的影響。而其於清代名聲不顯，迄今仍廣受稱譽，或許與民初疑古思潮與特殊的時代背景有關。〈論「涵泳、玩味」的讀《詩》法——以姚際恒、崔述與方玉潤的相關論述為評析對象〉（《文與哲》第12期，2008年6月）認為所謂的「新派」在方法上仍舊跳脫不出傳統限制。黃教授以為現在《詩經》學史上所爭執的「新」與「舊」只是時代背景下的相對概念。《詩經》學真正的「創新」意義產生，要到民國之後，經學神聖的意義被打破，才真正解放了傳統的限制，才真正出現具有意義的多元解釋。

黃教授於學報與學術會議發表多篇關於嚴粲（1197～？，1223進士）《詩緝》的論文，並且在今年出版《嚴粲詩緝新探》（臺北：文史哲出版社，2008年）一書。本書以宋朝當時的文學批評、理學及經學為切入角度，討論《詩緝》與宋朝發展出特殊的文學批評、理學以及宋學派的治經方式的關係，並討論當時學術思潮對《詩緝》的影響，並以為該書可充分代表南宋晚期的《詩經》學研究特色。書中附有〈詩經詮釋的流變〉一文，對歷代《詩經》學研究的流變以研究方法與詮釋的角度進行扼要性的論述。

黃教授目前正在針對宋代的幾位《詩經》學家范處義（1154年進士，1197年江東提刑）、王質（1135～1188）、呂祖謙

（1137～1181）與戴溪作個別的與比較的研究，目前已完成〈范處義詩補傳與王質詩總聞的解經取向及其在詩經學史上的定位〉（《國文學誌》第15期，2007年12月）、〈范處義詩補傳的解經特質及其在詩經學史上的存在意義〉（《逢甲人文社會學報》第16期，2008年6月）、〈戴溪續呂氏家塾讀詩記的解經特質及其在詩經學史上的定位〉（尚未發表）數文，預計明年可出版《宋代新舊兩派說詩的特質與困境——以范處義與王質為例》之專書。

值得注意的是在《嚴粲詩緝新探》〈自序〉中，黃教授提到將以〈詩經詮釋的流變〉為大綱，撰寫《詩經詮釋流變史》一書。在學術研究與教學上，「分科史」之類的書籍頗為重要，不僅闡述學科流變，更對過去研究歷史的評價與啟發未來的研究方向。在《詩經》學史方面，中國大陸已有夏傳才的《詩經研究史概要》（鄭州市：中州書畫社，1982年9月）、戴維的《詩經研究史》（長沙市：湖南教育出版社，2001年9月）、洪湛侯的《詩經學史》（北京市：中華書局，2002年5月）等書，令人訝異的是臺灣學者多仰賴這些著作，並沒有一本具有系統與學術觀點的專門史。如今黃教授著意撰述《詩經》學史，依其深厚的學養，與研究之勤奮，相信此書不日問世，定能讓學界一新耳目。

除了精深的學術論著之外，黃教授為了便於初學者入門閱讀，編寫《詩經簡釋》（臺北縣：駱駝出版社，1995年）一書，針對《詩經》三百零五篇進行全面性的疏釋與詩旨擬測的工作，對於入門初學的古典文學愛好者、研究者來說很有幫助。幾年之後黃教授又應另一家出版社之邀，重新整編《詩經選注》（臺北市：五南圖書公司，2002年），遴選一些藝術價值高、歷史價值重要的作品，並附有注釋與主旨說明，讓讀者很快地掌握到《詩經》優美的傑作。黃教授在這兩本書中提到：再好的譯文也不能傳達韻文的味道，頂多只能傳其

「意」，而不能傳其「神」。此外，《詩經》的本身就是詩歌，要掌握其中的味道，建議初學者要能夠學著吟誦。如此可以增加領會，體會其風格神韻。這也算是《詩經》學的操作層次、實踐層次。目前各大專院校《詩經》學課程，頗有使用這兩本書作為授課教材者。現因《詩經簡釋》已絕版，黃教授已撰寫《詩經全注》以代之，此書已於二〇〇八年九月，由五南圖書公司出版。此後，黃教授撰述更勤，有專書《嚴粲詩緝新探》（2008）、《范處義詩補傳與王質詩總聞比較研究》（2009）、《清代詩經學論稿》（2011）、《清代獨立治詩三大家研究：姚際恆、崔述、方玉潤》（2012）、《詩書教學研究》（2013），另有THCI-Core等級學術論文近二十篇。成績斐然可觀。

綜觀黃教授的學思歷程，其研究目的明確，專攻《詩經》，研究方法與觀點兼納中西學術之精粹，呈顯的學術氣象是廣博而融通。更值得注意的是黃教授之學術論述，多能推翻舊有的學術觀點，或是填補學術研究的空白，可謂不襲故說，別有卓見。此外最受人注意的是黃教授現今處於學術研究的高峰期，年年皆有質量俱佳的論文、專書問世，其對學術的貢獻與熱忱，洵為可敬，足為後學所式。

克己復禮　儒風化人

——林素英教授及其禮學研究

莊易耕
彰化師範大學國文學系博士生
陳姝伃
臺灣師範大學國文學系碩士

林素英教授，就讀臺灣師大國文研究所期間，即致力於禮學思想詮釋。曾任教板橋國小十五年，花蓮師院語教系七年，於民國九十一年返回臺灣師範大學國文系所任教至今。撰有《古代生命禮儀中的生死觀——以《禮記》為主的現代詮釋》、《古代祭禮中之政教觀——以《禮記》成書前為例》、《喪服制度的文化意義——以《儀禮・喪服》為討論中心》、《從《郭店簡》探究其倫常意義——以服喪思想為討論基點》、《禮學思想與應用》等書，以及有關詩、禮與出土文獻等單篇學術論文數十篇，並撰有《少年禮記》、《陌生的好友——禮記》、《甜蜜的包袱——禮記》等通俗之作。

一　生命試煉，潛心喪祭

先生十二歲時，朝夕相處的祖母之死，開啟她對生命探索之端緒。往後，因大姊壯年而逝，徒留稚子四人，深感生命無常。母親逝去，又添一樁生命之試煉，雖然承受椎心之痛，然而卻須勇於壯大自己的腰身以照顧家人。復以外甥下水救人，反而歸陰，更覺「死生有命」之不假！這些事情都促使先生感悟：每一條被剪斷的生命之線背後，都必須用更多的親情來彌補裂縫，無情的打擊過後，必須以更堅強的心情，面對生命的各種挑戰，因為唯有面對陽光，黑暗才會無所遁形。這些關於死亡的強烈感受，使先生對生命意義的追尋有一份特殊的趨力與敏感！最後，更因喪父之痛，再加深先生探究生死問題之決心。因而藉由古代生命禮儀，激起個人對於生死之情的迴盪，且從跨過生死禮儀之大門，擁抱更真切之生命！隨後，再投注於古代祭禮之研究，追遠逝去的先人，更從探究醇厚人性之善德，學習感恩圖報之美德，以成就圓滿人倫之禮。這些都促成先生探究生命哲學之決心，且希望能將禮學之深刻內涵，刻入廣大生命的血脈之中。

二　尊師重道，報之以禮

先生早年雖然傾心於莊子忘情生死之豁達，然愈是鑽研，愈感受到莊子仍擺脫不了對於生命的濃烈之情，遂轉從孔子的生死觀下手，以《禮記》為主體，透過生命禮儀之系統建構，以探討其中蘊涵的生命價值觀。當時指導教授王熙元先生，不忌諱生死議題，不以先生跨出傳統經學研究方式為離經叛道，給予先生寬廣的學術研究道路，得以盡情發揮才思，至今先生仍銘感於懷。至於影響先生禮學研究最重要者，則非周何先生莫屬。周先生於臺灣師大任教《禮記》三十餘年，告諭學子勿以章句訓詁為滿足，當以明曉禮義為宗。先生自大學至研究所從周師習禮數載，深知習禮重義之旨。周師雖於先生撰寫博士論文期間不幸中風，幸好神智仍舊清明，基於愛護學生之情，刻苦指導堅持閱畢，此等師恩使先生終身難忘。因周師不止一次於課堂之中提及「喪禮」實為中國文化最精彩、細密之處，而周師屢次提及深入《儀禮‧喪服》的內涵意義一直是他多年來的心願，希望先生能紹述其志，以探聖賢設立喪服制度的原意。先生果不負師望，苦心鑽研，撰寫《喪服制度的文化意義》一書，藉此報答師恩，亦無愧周師以「余嘗思禮學得此傳人，蓋無憾焉！」之讚譽。

三　剛柔並濟，作育英才

先生是一位自律甚嚴、即知即行的禮學徹底實踐者，舉凡上課解說有條有理，文章寫作嚴謹分明，研究室書籍繁密卻窗明几淨，為許多學生立志效法的楷模，但生活作息終嫌忙碌。先生曾於花師任教，在語教系開設「國學導讀」、「中國哲學史」、「史記」、「禮記」等課程，並在民間文學研究所，開設「歲時節令與民間文學研究」、「生命禮俗與民間文學研究」等課程。先生於國立臺灣師範大學國文學系任教期間，則先後開設「古籍導讀」、「中國哲學史」、「史記」、「禮記」、「經學史」、「歲時禮俗文化專題研究」、「三禮研討」、「詩經研討」等課程。

先生十分重視基礎核心課程，更重視經學與生命的緊密結合：於「禮記」課，提醒學生須自立於冠禮中的成人之義；於「詩經」課，闡述孔子詩教重視民性自然、納物察俗之胸襟；於「歲時禮俗」課強調人類須順應天地及重視自然；於「三禮」課，帶領學生思考親親、尊尊的矛盾與和諧。綜觀先生所教，實無一處離開生命而孤懸理論。

先生豐富的史學基底與深厚的道德涵養，使學生聆聽課程，時能警惕反省自心，時而感動如沐春風，並且不拘泥章句訓詁，尤其著重訓練學生應該深入思考經典之真義。先生授業之餘，還關心學生的生活作息，並時時給予同學懇切的建議，雖然言辭有時不免嚴厲，卻滿懷關愛之情。猶記學生論文計畫苦思不出、屢寫多誤之時，先生雖已在白天叮嚀甚久，夜半又接獲簡訊，告知隔日再至研究室討論。若非愛護學生用心良苦，視學生之事如自己之事，先生又何須如此！為求禮學內涵廣入人心，更以〈經學行腳：研讀禮記的重要入門書〉、〈禮學研究論題的回顧與前瞻——以國內碩博士論文為討論中心〉二文，一方面提示後學習禮之道，另一方面，則希望後學多從事禮學研究，重視先人留下的寶貴文化資產，使禮學真正達到指導人生之價值。

四　以禮爲本，多元發展

由於「禮」之涵蓋面廣，因而先生之教學與研究都圍繞「禮」之核心，而進行相關之多元發展。以下可分從五部分以呈現先生之研究特色：

（一）闡述三禮精義

在「三禮」總論部分，先生非常重視「三禮」之學的精義闡述，希望透過其深刻義禮之闡發，而使「三禮」之學能重新受到學界應有之重視，且能引發後起之秀起而鑽研之心願。先生曾針對《周禮》、《儀禮》、《禮記》之禮儀制度進行統合，深入探討傳統文化的特質。最近，更闡論歷代三禮之地位各有升降之意義，並期許日後還能進而疏理更完整、更全面的「三禮」學史，展現禮學與社會脈動之關係。

先生不但從大司徒之社會教化體系，探究《周禮》的禮教思想，且整合「三禮」之相關內容，而勾勒《周禮》的祭祀系統，大大呈現周代發揚人文理性的人文崇祀精神，且從中展現其深刻之教化涵義。又以《儀禮・喪服》為中心，探討中國文化中最精緻細密之喪服制度，並深入其底層之文化意義，稍解周師時常縈繞於心、齎志以沒的遺憾；以〈喪服〉「女子逆降旁親」問題為中心，對於程瑤田反對鄭《注》、賈《疏》進行批判。更由於詩、禮、樂三者，經常具有三位一體之密切關係，因此從《儀禮・鄉飲酒禮》及《禮記・鄉飲酒義》等相關內容，論述詩、樂與禮相融的意義。

先生對於《小戴禮記》之義理詮釋用力最深，綜觀先生之研究路向，還可分為三大方向：其一，結合禮儀與禮義之研究，首以古代冠禮、婚禮、喪祭等生命禮儀探究生死觀；再深化祭禮研究，將研究主題聚焦於祭祀天神、地示、人鬼等古代祭禮，並透視其政教觀。其二，禮學通論之相關研究，主要以〈禮運〉、〈禮器〉、〈郊特牲〉三篇，論述禮的內涵及外延，藉以突顯禮運大同的積極意義；彰顯「禮」之最高層次，在於尋求情感與理性之平衡，且以「致中和」之「中庸」之境為最終目的；根據「先秦謚法」及「先秦之命名取字」分別探究其人文精神之意涵。其三，儒家禮學之相關研究，爬梳「儒」字之相關記載，論述先秦之儒，乃歷經原初的儒、孔子時期之儒，以及孔子之後，儒家產生分化之三大階段。更從「修六禮，明七教」之角度，檢視荀子在冠、昏、喪、祭、鄉以及相見等「六禮」之修飾中，無法申明父子、兄弟、夫婦、君臣、長幼、朋友以及賓主等七種人倫關係的相待之道，以呈現荀子禮教思想之限制，以突顯儒家思想始終以倫理之講求，為學術發展之核心議題。

（二）結合出土文獻以探討禮義

先生緣於晚近出土的《郭店楚簡》的內容與儒家早期服喪思想關係密切，於是從「六位」、「六德」到「四行」、「五行」之三重道德，以探究中國傳統的倫常觀念，並以「兼服」之觀念，說明親親與尊尊之間的平衡，解決學界對於「為父絕君，不為君絕父」之斷斷爭辯。

先生發現《禮記》與《郭店楚簡》、《上海博物館藏戰國楚竹書》等出土文獻之內容，都有密切之關聯，於是轉入傳世與出土文獻二者可相對應的篇章，進行單篇研究。先生分別以〈坊記〉、〈中庸〉、〈表記〉結合《郭店楚簡》論述其政治思想，並根據簡本與今本〈緇衣〉的內容，從施政策略、施政原則，探究孔子理想君道及德刑思想；以《郭店楚簡》所記載的「仁」、「義」、「禮」、「智」、「聖」五行之德，檢視周文王的人君典型，提供後世為政者之景仰及垂範。同時還兼及《孔子家語》及《孔叢子》之相關內容探賾索隱，以闡發其精微之義理。

（三）注重貼近生活的生命及歲時禮俗

先生以為禮儀的實踐必須合乎時宜，更要考慮民情風俗。至於關係個人生活最密切之禮俗，則包含縱向發展，且不可逆轉的「生命禮俗」，以及橫向發展，具有週期循環特質的「歲時禮俗」兩類。人之一生，從生命的呼喚開始，以至於回歸塵土，成為祖靈，庇祐子孫，所有的冠、婚、喪、祭等攸關生命發展之禮，對於個人生命意義之追求、生命價值觀之確立，不但都有密切之關係，更能展現中國古老的生命智慧。此外，先生以為目前社會大眾習以為常，定期歡度的「歲時節慶」，其實源自「歲時劫難」而不自知。因此多年來藉由「歲時禮俗」相關課程之開設，促使選讀課程者從探求「節令」之源頭，以理解人與天地自然之密切關係，懂得重新思考人與天地自然，應如何和諧相處之重要問題，對於目前全世界面臨自然生態嚴重不平衡之危機，尤其具有深刻之意義。先生目前不但已發表有關上巳節以及七夕等節俗之文章，也已指導研究生完成有關清明、端午，以及七夕等有關歲時禮俗之論文，希望還能引起更多現代人對於生活禮俗之注意，理解「禮」與人類之生活是息息相關的。

（四）會通詩與禮的研究

先生認為禮的最高境界，在於能否運用「以理為節，而至於中正」的本質，所以透過詩與樂，促進生活的平和、融洽，最後達到平衡和諧的圓滿狀態。先生於〈孔子詩論〉公布後，即先探究邦（國）風的「風」之本義，然後再依次結合十五國風的具體詩篇，探討國風從原來「風」之本義，歷經〈詩論〉之發展，而卒至成為後來之《詩序》，其詩教之發展，乃各有繼承與轉化，並非全屬一成不變的。至於有關雅、頌之部分，從詩之本義，以至〈詩論〉，再到《詩序》，則以前後相繼承之情況居多。先生希望能從結合《詩》與「禮」之研究，提醒大家在周代多元的社會生活中，「詩」與「禮」，其實都與生活的點點滴滴密切相關，且所謂溫柔敦厚之詩教，同時也是禮教之特色。

（五）開拓《大戴禮記》以豐富孔子之思想

先生指出孔子周遊列國返魯以後，擔任「國老」一職，與魯哀公有直接論政的機會，因而《大戴禮記》中的《孔子三朝記》，以及其他多篇孔子與哀公問答之內容，應是理解孔子晚年思想之極重要資料，可惜向來不受重視。因此先生結合二戴《禮記》有關「哀公問」

之內容，配合《論語》、《荀子》、《孔子家語》、《孔叢子》、《新書》、《新序》、《說苑》、《韓詩外傳》及出土文獻等等相關材料，希望能更豐富孔子晚年之思想內容。

（六）其他研究

先生除積極從事以上研究外，並曾撰作有關「道家」、「佛學」、「宋明學術」及「史記」等之論文。先生分別根據《老子》之「歙張與奪」的變道用，論述老子之政治智慧；透過〈不真空論〉、《天台小止觀》、《般若心經》、《圓覺經》及《壇經》等經典，闡述佛學思想；以〈張載變化氣質論〉及〈焦竑之三教觀〉等論文，疏理宋明之重要學術問題；以商鞅及張良為傳主，分別探求悲劇性人格表現及高度展現生命智慧之智者，同時也展現文、史、哲原本為一家之本來面目。

此外，先生不把中國傳統文化經典束之高閣，曾於任教花師期間，參與通識教育之改革計畫，積極推動通識語文教育之實驗教學，曾與黃如焄先生合編《文學生活與通識語文教育》，與巫俊勳先生合編《經典生活與通識語文教育》二書，將經典之內容結合通識教學，透過「深入淺出」的教學方法，期能達到通識教育之目的。

五　展望未來，依然在禮

談到未來的期許與展望，先生首先提及多年以來，即已陸續撰寫《歲時禮俗論略》一書，只是至今尚未完成，希望能早日將其出版，以便引發更多人注意歲時禮俗的「劫難」源頭，提醒大家對於大自然應有之和諧關係，同時也可提供一些可以後續發展之線索，鼓勵後起之研究生繼續研究。其次，將有關結合詩、禮之整合性研究，希望能再補充更全面之資料，以便出版更有系統之書。此外，還想將這兩年來，從二戴《禮記》等相關資料，以探求孔子晚年思想之工作，能有更全面且多元之探討。

總而言之，先生志在恢復孔子儒學宗風，以「禮」平衡「情」與「理」的緊張關係，並希望透過「禮」在生活中的實踐，能促進人與人的和諧關係，締造和諧的社會。先生以禮學為志業之決心，及其關懷世道人心的努力始終不變，足以讓從事學術研究的莘莘學子效法並追隨。先生認定經學之重心在於「禮」，透過「禮」的聯繫，先生過去所言，依然是不變的堅持：

> 欲使經學真正達到指導人生之價值，
> 必須讓經學走入人生之脈絡，進入人體之血脈！
> 請讓經學步下孤高之神殿，與生命握手！
> 請讓經學展現其血肉之面向，與現代人之生命同在！

身體、神話與理學

——楊儒賓教授治學理念與近年學術成果述要

姚彥淇
國立臺北護理健康大學通識教育中心助理教授

楊儒賓教授，原籍臺灣彰化，一九五六年生，童年與青少年時期移居臺中。高中就讀省立臺中一中，一九七四年考入臺灣大學中文系，一九八〇年畢業入伍服役，兩年後退伍並於同年進入碩士班繼續深造，師事張亨先生，並以中國思想為研究主題。碩士論文題目為《先秦道家「道」的觀念的發展》，後獲選入臺灣大學文學院文史叢刊，付梓出版。碩士畢業後入臺大中文系繼續攻讀博士學位，在學時並曾赴韓國外語大學擔任講師，為期一年。一九八七年獲博士學位，論文題目為《中國古代天人鬼神交通的四種類型及意義》。同年獲聘清華大學中文系副教授，一九九三年升等教授迄今。

除了清華大學中文系的教職外，楊儒賓教授先後擔任東京大學、九州大學、威斯康辛大學的訪問學者，並曾擔任國科會人文及社會科學研究處的「中文學門」召集人。學術榮譽的記錄上，楊教授分別於一九九五、一九九八、二〇〇四這三年獲得國科會傑出研究人員獎，更於二〇〇六年獲聘為清華大學講座教授。

自博士班畢業後，楊教授主要的研究領域為「身體理論」、「神話思想」和「宋明理學」。相關著作等身，有《莊周風貌》（臺北市：黎明文化，1991年9月）、《儒家身體觀》（臺北市：中研院文哲所，1996年11月）及專業學術論文數十篇；並有譯著《孔子的樂論（江文也著）》（臺北市：喜瑪拉雅研究發展基金會，2003年7月）、《黃金之花的祕密（Jung＆湯淺泰雄著）》（臺北市：商鼎文化，2002年7月）、《宇宙與歷史：永恆回歸的神話（M.耶律亞德著）》（臺北市：聯經，2000年）、《冥契主義與哲學（W. T. Stace著）》（臺北市：正中，1998年）、《東洋冥想的心理學（C.G.Jung）》（臺北市：商鼎文化，1993年7月）等。

近代國學大師王國維在國學研究方法上，曾提出著名的「二重證據法」，此說對當代的國學研究影響甚大。楊教授自踏入學術研究的領域起，即服膺王氏此說，認為熟悉文獻材料乃研究工作的基礎，但他也認為不管是「地下之新材料」還是「紙上的材料」，其實都是廣義的材料，只是見世時間有先後之別。學術研究成果要能突破前人窠臼，除了全面掌握研究對象外，更重要的是要有新的理論眼光，才能解讀出隱藏在文獻中，卻從未被前人所明言的知識新義。這可說是楊教授在治學方法上的核心觀念，他也以此說諄諄勸誘後進。雖有不少學者點出類似的觀點，例如大陸的神話學者葉舒憲所提出的「三重證據法」，就可和楊教授的理念相呼應，但在目前臺灣的中文學界中，能循此研究路徑並累積大量成果者，楊教授可說是箇中翹楚。以下筆者即針對楊教授近年來最主要關心的三個學術領域——「身體理論」、「神話思想」與「宋明理學」的學術成果，做扼要介紹。

一　身體理論

「身體理論」是當代哲學的重要議題，西方學者對此問題的討論發軔於十九世紀中後期。過去學界對於先秦儒家的研究多集中在心性與意識哲學的層次上，例如仁義、性善等，這跟傳統上我們對儒家思想的內涵認知有關。而與意識層面的心性相對的概念，便是生理層面的「身體」。比起長期以來受到關注的心性，身體一直未受到學者正面的對待，這也無形中讓人產生一種誤解——即儒家思想似乎有「反身體」的傾向。但近年來幸賴西方新學術視角的引進，以及楊教授等學者的洞見，在儒學領域中與「身體」有關的議題也漸次受到學者的關注，並積累了豐厚的研究成果。相關的學術論述與資料彙集，逐步構造起一套完整且有系統的「儒家身體理論」，可說是為漢學研究開闢了一條新路徑、打開了一扇新學門。過去對於儒家不重視身體的印象，也得到了澄清和翻案。

先秦儒家如何看待身體？他們的思想中有哪些內容與身體有關？他們如何定義身體及建立屬於儒家範疇的身體理論？這些都是我們在討論先秦儒家的「身體理論」時，必須提出的問題。楊教授的研究指出，先秦儒家的身體理論是建立在「心——氣——形（體）」這種一元三相的大傳統構造之上，各家緣於理論預設的不同，或是關懷焦點的差異，對這樣的構造就有各自不同的解讀和詮釋，例如孟子和荀子的差別就極大。但綜觀來看，各家的身體理論都可帶入這樣的系統公式來進行分析。楊教授追溯先秦儒家身體觀，認為可歸納出「二源三派」的理論原型。「二源」是指先秦儒家身體觀在西周時代的理論源頭，分別是「威儀觀」和「血氣觀」。而「三派」則是指由「二源」所發展出的三套身體理論，分別是「心氣化的身體觀」、「禮義的身體觀」以及「自然氣化的身體觀」。這三種身體觀對心、氣、形的性質和功能的預設皆有差別，但最終都是要使學者的身體和意志達到「身心一如」的境界。「心氣化的身體觀」以孟子為代表，「禮義的身體觀」以荀子為代表，而「自然氣化的身體觀」則是漢代身體觀的主流。楊教授研究先秦儒家身體理論所得出的「二源三派」結論，不但是儒家思想研究的突破，更可做為我們分析先秦儒家文獻的新門徑、新方法。這方面進一步的研究成果可參考楊教授所著的《儒家身體觀》，此書可說是楊教授現階段在此一領域內的研究成果總結。

在儒家身體理論的研究上取得豐碩成果的同時，楊教授近年來也著力於道家身體理論的建構，試圖開出一條有別於傳統的儒家觀點，但仍分享了共同理論基礎的道家身體觀。相關的專業論文有〈從「以體合心」到「遊乎一氣」——論莊子真人境界的形體基礎〉（《第一屆中國思想史研討會論文集》，東海大學文學院，1989年12月）、〈支離與踐形——論先秦思想裡的兩種身體觀〉（《中國古代思想中的氣論與身體觀國際研討會》，清華大學中語系，1991年6月）、〈技藝與道——道家的思考〉（《王叔岷先生學術成就與薪傳論文集》，臺灣大學中文系，2001）等。相信在不久的將來，這門學術也會成為身體理論研究的新顯學。

除了撰文論述外，楊教授也多次與關心此領域的學者合作，合著或編輯了相關的學術專著，例如《中國古代思想中的氣論及身體觀》（臺北市：巨流，1993年3月）、《身體與社會》（臺北市：唐山，2004年）、《天體、身體與國體：迴向世界的漢學》（臺北市：臺大出版中心，2005年）、《儒學的氣論與工夫論》（臺北市：臺大出版中心，2005年）等。透過這些學術成就的積累，相信將來有志於身體理論研究的後輩學者，可以在此基礎上有更重大的突破。

二　神話思想

誠如學界所熟知的，中國神話學研究最早是在清末由西方學者所開啟，從五四時代起便陸續有本土學者投入，如魯迅、茅盾、周作人、梁啟超、江紹原等，其中以聞一多的成就為最大。以上學者會著意於中國神話學的研究，受西方新學科傳入的啟發甚大。隨著抗日軍興及神州赤化，來自西方的學術刺激因子趨緩，但期間仍有學者在此園地不斷投入努力，如蘇雪林、淩純聲、張光直諸先生在海外皆續有論述，且有相當強的理論導向。五四以降代代學者不斷的努力，種下了今日中國神話學復興的契機。

楊教授在其博士論文裡，就已嘗試處理上古文化裡有關巫術、薩蠻、樂園思想等議題，這也開啟了日後對於中國神話學研究的興趣。楊教授的神話學研究方法，不同於傳統的神話文獻考證或故事類型分析，而是參照西方當代重要的神話學、人類學或宗教學理論，重新解讀掘發中國上古神話材料中所隱伏的思想訊息，以及中國神話裡所深植的思想結構，是如何轉化成日後先秦諸子思想的沃土。相關論文如〈論道家的原始樂園思想〉（《中國神話與傳說學術研討會》，漢學研究中心，1996年）、〈渾沌與創造〉（《傳統儒學、現代儒學與中國現代化》，香港：新亞研究所，2002年）等。另外從民初以來紛纆學者不休的黃帝原形問題，楊教授也從神話的觀點予以新的解讀詮釋，如〈黃帝四面——天子的原型〉（《廖蔚卿教授八十壽慶論文集》，臺北市：里仁，2003年）、〈黃帝與堯舜——先秦思想的兩種天子觀〉（《臺灣東亞文明研究學刊》2卷2期，2005年）等。

近年來楊教授從事國科會〈五行與自然〉的專案研究計畫（案：此計畫乃〈重探中國人文傳統的自然觀〉下的一個子計畫），則是楊教授在中國神話學的研究上另一項重要成果。楊教授曾經分別著文，針對「渾沌」、「陰陽」、「水」、「土」這四個自然象徵的原形意象，做過專門的討論。而後透過〈五行與自然〉這個計畫的執行，楊教授再補上「金」、「木」等議題的討論，如〈吐生與厚德——土的原型象徵〉（《中國文哲研究集刊》第20期，2002年）及〈太極與正直——木的通天象徵〉（《臺大中文學報》第22期，2005年）。而楊教授最後的目標是要集結完成以《新五行論》為名的專書，將五行說定型化前的自然意象重新界定其義，並溯源五行說與原始神話的關係。這項研究不但給中國神話學研究帶來新的啟發，更打破了傳統五行學研究的既定模式。此外，楊教授的更大企圖心是透過五行與自然關係的重新衡定，來開啟中國哲學中有別於心體與性體的「道體」論述。

三　宋明理學

在當代的宋明理學研究中，牟宗三先生可說是權威中的權威。牟先生有關宋明理學的數本煌煌鉅著，皆被學者視為當代中國哲學經典。楊教授早年在宋明理學上的造詣深受牟先生的啟發，後來踏入學院進行獨立研究後，對宋明理學這塊領域仍未忘情，持續投入心力研究。楊教授的宋明理學研究主要是以牟先生的成果為基石，進一步深入探究諸家說法在工夫論及宗教學上的意義，並嘗試重新梳理宋明理學的學術史脈絡。楊教授有關宋明理學的論文著作甚夥，筆者舉其大要，如〈理學家與悟〉（第三屆國際漢學會議，中央研究院，2000年6月）、〈格物與豁然開通——朱子〈格物補傳〉的詮釋問題〉（《朱子學的開展——學術篇》，臺北市：漢學研究中心，2002年）、〈宋儒的靜坐說〉，《臺灣哲學研究》第4輯，2004年3月）等。

楊教授除了在既有的理路上繼續深化宋明理學的研究外，更嘗試在傳統的宋明理學二系——「理學派」與「心學派」外，將「氣學派」的地位及獨立性予以顯題化，開創出宋明理學全新的研究領域。相關論文如〈近世儒學詮釋傳統中的氣論問題〉（東亞儒學中的經典詮釋傳統國際學術研討會，臺大東亞文明研究中心，2004年）、〈兩種氣，兩種儒學〉（東亞儒學研究的新視野學術研討會，臺大東亞文明研究中心，2004年）、〈氣學的檢證標準——儒佛虛實說的先行課題〉（心靈環保與人文關懷學術研討會，法鼓山人文社會獎助學術基金會，廣州，2006年）、〈一陽來復——《易經・復卦》與理學家先天氣的追求〉（《儒學的氣論與工夫論》，臺北市：臺大出版中心，2005年）、〈檢證氣學——理學史脈絡下的觀點〉（《漢學研究》25卷第1期，2007年）等。

除了跨越傳統學派的區隔外，楊教授還跨越了國界及語言的藩籬，比較同時或先後期的中土思想家與鄰國思想家的差異及互動，撰文如〈人倫與天理——伊藤仁齋與朱子的求道歷程〉（《儒家思想在現代東亞》，臺北市：中研院文哲所，1999年）、〈葉適與荻生徂徠〉（《日本漢學研究初探》，臺北市：喜瑪拉雅研究發展基金會，2002年）等。這項成果將原本僅限中國本土的儒學研究，擴大成為以整個東亞為視域的跨區域人文學術研究。

筆者以上簡介楊教授近年主要耕耘的三個學術領域，三個領域雖然看似是獨立學科，但在研究方法及理論分析上，楊教授皆力求融會貫流、相互應照。各領域內的成果往往是來自於彼此在方法上的校練體悟，或是根植於共通的理論眼光。走筆行文至此，筆者領悟，研究方法的程序理解非難事，最艱苦的莫過於親力實踐，因為那除了需要靈智慧心外，更需要真積力久的苦行實作。

從經學到文獻學

——張寶三教授的學思歷程

張琬瑩
東吳大學中國文學系博士生

一　前言

二〇一三年七月三日下午，與張寶三教授約好在中央研究院中國文哲研究所進行訪談，雖然是初次見面，教授親切的笑容，化解了我在訪談前的些微緊張。

張寶三教授，一九五六年出生於臺灣省雲林縣，曾任臺灣大學中文系助教、講師、副教授，日本京都大學人文科學研究所、美國哈佛大學哈佛燕京學社、芝加哥大學等校訪問學人，美國傅爾布萊特基金會獎助資深學者。現任臺灣大學中國文學系教授。著有：《五經正義研究》、《東亞詩經學論集》、《唐代經學及日本近代京都學派中國學研究論集》；編有：《臺灣大學圖書館藏珍本東亞文獻目錄——日本漢籍篇》、《臺灣大學圖書館藏珍本東亞文獻目錄——日文臺灣資料篇》、《日本漢學研究續探：思想文化篇》（與楊儒賓合編）、《東亞傳世漢籍文獻譯解方法初探》（與鄭吉雄合編）、《德川時代日本儒學史論集》（與徐興慶合編）、《日本漢學研究初探》（與楊儒賓合編）等書。

在文哲所舒適的小型研討室裡，張教授同我們分享了他一路行來的求學生涯與學思歷程，透過教授的訪談，正好可以提供給年輕學子一些寶貴的經驗。

二 從現代詩創作到中文研究

問到張教授如何走向研究中文之路？教授表示，這個研究方向的確立，得從他在師專就讀的生活談起。

一九七一年九月，教授剛從國中畢業，進入省立臺中師專就讀，在那裡度過了五年的歲月。由於那個年代，男生讀師專，多半不是出自自己的意願，因此心情不免苦悶，常覺精力無處發洩，是十足的慘綠少年。後來，受到了學長陳義芝、李國躍等人的引導，開始對創作現代詩感到興趣。之後，又陸續結識了蘇紹連、洪醒夫、陳珠彬、蕭文煌等已經畢業的學長，受邀加入「後浪詩社」，以「掌杉」的筆名在《後浪詩刊》上發表詩作。在這段創作現代詩的生活裡，教授認識了不少詩壇的朋友，如吳晟、渡也、岩上等人。除了創作現代詩外，教授談到自己當時也喜歡胡亂寫一些有關現代詩的評論，其中〈探求新生代血液的脈源〉一篇，曾經被刊登在《中外文學》第三卷第一期的「詩專號」中（1974年6月出版）。回想起這段寫現代詩的日子，教授笑著表示：「我覺得既浪漫而又遙遠，不過我想這和我後來研究《詩經》可能也有一些關連。」

在師專三年級的時候，由於國文老師黃盛雄教授的影響，使張教授對古代典籍有更深刻的認識。同時，當年還在政大中文研究所攻讀博士學位的李威熊教授，也到臺中師專教書，因此老師也有不少機會能向李教授請益。四年級分組主修時，選擇了「語文組」，授課老師中，受到教「國學概論」、「中國文學史」的王逢吉教授的影響極深。王教授寫的《人生之智慧》一書，在當時非常暢銷，張教授也曾仔細研讀了此書，吸收書中許多哲理。

一九七六年六月，張教授從師專畢業，旋即於同年七月入伍服預備軍官役，經過一年十個月的兵役，於一九七八年五月退伍。在短暫的休息過後，就到臺北縣雙溪鄉柑林國小報到，開始教書生涯。一九七九年暑假，參加轉學考試，插班進入臺灣大學中國文學系日間部二年級，同年九月，辭去小學教職，並賠償部分服務未期滿的公費，開始進入臺大中文系就讀。

如果問為什麼會想選擇走上研究中文之路，教授認為還是和讀師專的這段生活經驗有關。那時候的他對讀大學有一股很強烈的期盼，後來有機會上大學時就緊緊抓住機會，而考量自己最想念的科系就是中文，所以也就自然而然地踏上了這條學習、研究中文的不歸路。

三　臺大求學生涯與《詩經》、《五經正義》的研究

就讀臺大中文系，是張教授相當重要的一段求學過程，許多作學問的基礎都是在這時候打下的。一九七九年九月進入臺大中文系後，一九八二年六月畢業，考上了臺大中文研究所碩士班，同時被錄取為系上助教。一九八六年六月，碩士班畢業，考上博士班，八月改聘為講師。一九九二年六月博士班畢業，八月即升任副教授，一九九八年八月升任教授。張教授在臺大中文系任職，一轉眼也已過了三十年。

張教授提到，他當時轉學進臺大中文系二年級時，覺得臺大中文

系是一個各方面都很均衡發展的科系，在這個自由多元的環境裡，他就像海綿吸水般地拼命學習、吸收。許多任教於此的老師都是早已在報章或書中拜讀過作品、慕名已久的作家或學者，因此，在大學就讀的三年中，他收藏起創作現代詩的熱情，開始跟隨中文系的課程，努力學習，分外珍惜求學的光陰。提起當年上過課的老師，如張敬、裴溥言、廖蔚卿、葉慶炳、龍宇純、杜其容、張以仁、周富美、張亨、彭毅、金嘉錫、張健、齊益壽、潘美月、黃啟方、曾永義、吳宏一、林麗真等學者，張教授至今都還能如數家珍地細述，可見受當時諸位老師授課的影響至深。其中，尤以張以仁教授對寶三老師的影響最為深遠，在大學四年級上過張以仁教授開設的訓詁學後，使得寶三老師立下了要研究訓詁學的志向，而其碩士論文也就自然而然的請張以仁教授擔任指導老師了。

張寶三教授的碩士論文題目是《毛詩釋文正義比較研究》，是將陸德明《經典釋文》中的〈毛詩音義〉與孔穎達《毛詩正義》做比較研究，以探討兩書的性質、體例及解經特色等。當時，張教授以《經典釋文》〈毛詩音義〉中的條目為依據，每個詞條作成一張卡片，再摘錄《毛詩正義》中的相關資料作為比較，總共作了幾千張卡片。雖然作卡片、比較研究都只是一些基礎工夫，但是就是經由這些磨練，使得教授對於《經典釋文》與《毛詩正義》有了更詳細的瞭解。

完成碩士論文考試後，在師長的勉勵下，寶三教授繼續報考博士班，並於同年秋天入學臺大中文博士班。由於撰寫碩士論文的過程中，深感若要探究《正義》的相關問題，必須博綜五經，才能融會通貫，因此便立志以探討《五經正義》作為博士論文的研究方向。由於那個時代，還沒有《十三經注疏》的標點本問世，《五經正義》的篇幅又多，要作全面的研究，的確不容易。因此，有許多師長、學友都曾勸寶三教授要再三思。雖然師友們的顧慮也有道理，但寶三教授考量討論《正義》的學者雖多，可是全面系統的研究尚屬未見，而且自己也想藉由探討《五經正義》的過程來厚植根基，因此仍然選定這個方向，勉力而為。歷經六年的研究撰寫，終於完成五十多萬字的博士論文——《五經正義研究》。這是第一本比較全面研究《五經正義》之版本、體式、內涵特性、論考內容、字義訓詁、修辭見解、思想觀念等方面的論文。雖然如此，老師還是謙虛地表示，這本論文現在看起來還是有所不足，如果有時間的話，應該再作補充，才能臻於完備。老師也特別提到，關於《五經正義》的研究還有許多可以開發、補充的空間，仍有待學者們繼續努力探索。

四　走進日本漢學的領域

在撰寫博士論文《五經正義研究》的第十一章〈五經正義之得失與價值〉時，由於曾經引用到日本學者吉川幸次郎〈毛詩正義校定資料解說〉一文中的看法，這使得張教授產生了想進一步瞭解日本學者經學研究成果的想法。因此，在一九九六年八月到一九九七年七月間，獲國科會「補助科學與技術人員赴國外短期研究」項目的獎助，教授就赴京都大學人文科學研究所訪問一年，研究計畫的題目是「日本近代京都學派中國經籍研究述論」。這一年的訪問，可以說是教授開始研究日本漢學的起點。後來，教授把在日本的研究成果收入《唐代經學及日本近代京都學派中國學研究論集》（臺北市：里仁書局，1998年4月）一書中，成為他升等教授的著作。

二〇〇一年三月，張教授與新竹清華大學的楊儒賓教授共同推動在臺灣大學舉辦第一屆「日本漢學國際學術研討會」，鄭清茂教授在會議的主題演講中提到，這可能是全世界第一次以「日本漢學」作為研討主題的國際學術會議。張教授頗有感觸地表示：這可以想見當時推動日本漢學的研究，實在是篳路藍縷，相當辛苦，不像現在，擁有比較良好的條件，研究日本漢學的學者也漸漸多了起來。

二〇〇三年，教授參加了臺灣大學由教育部資助而成立的「推動研究型大學整合計畫」之一的「東亞文明研究中心計畫」。在執行計畫的過程中，也擴大研究範圍，涉及了一些韓國《詩經》學的研究。這些研究成果，後來就收錄在《東亞詩經學論集》中，由臺灣大學出版中心於二〇〇九年七月出版。

可以說，從博士論文的一章開始，延伸探討日本漢學，再從日本漢學擴展到東亞漢學的研究，老師的這一研究過程是前後銜接、緊密環扣的。

五　文獻學研究的契機與歷程

張教授近幾年投注了相當多的精力在文獻學的研究上，問教授為什麼會開始研究文獻學？教授表示，他對文獻學的接觸，最早是大學四年級時，選修了潘美月教授的「版本學」和「目錄學」課程，在這方面打下了初步的基礎。但是，早期並沒有打算要以文獻學作為研究的專業領域。一直到二〇〇二年八月，赴美國芝加哥大學東亞研究中心作為期一年的訪問研究，在芝加哥大學時，有機會拜會了錢存訓教授，並時時向錢教授請教問題。錢教授所著的《書於竹帛》及《紙與印刷》等書，都是圖書文獻學上的經典之作。因為具地利之便的關係，張教授有比較充裕的時間，曾經幾次對錢存訓先生進行訪談，後來撰寫成〈訪錢存訓教授談中國書籍史之研究及治學方法〉一文，刊登在《漢學研究通訊》第二十二卷第一期（臺北市：漢學研究中心，2003年2月）中。在向錢教授問學的過程中，使得老師增加了對文獻學研究的興趣。

二〇〇三年夏季，張教授從美國返臺，正式參與了臺灣大學「東亞文明研究中心計畫」，由於擔任了其中「東亞文明研究資料中心」的召集人，有機會推動《臺灣大學圖書館藏珍本東亞文獻目錄——日文臺灣資料篇》、《臺灣大學圖書館藏珍本東亞文獻目錄——日本漢籍篇》、《臺灣大學圖書館藏珍本東亞文獻目錄——中國古籍篇》等書的編輯工作，從中習得了許多寶貴的知識和經驗。因此，在二〇〇九年八月，就利用教授休假以及國科會、美國傅爾布萊特基金會等單位之獎助，再度赴芝加哥大學，從事《芝加哥大學東亞圖書館中文古籍經部善本書志》的撰寫工作。老師表示，這一項工作對自己是極大的挑戰，目前這部書志僅具粗稿，尚未全部完成。部分研究成果，曾以〈芝加哥大學東亞圖書館所藏中文經部善本書錄四種〉為題，發表於《版本目錄研究》第三輯（北京市：國家圖書館出版社，2012年1月）。未來則希望能盡快把這本書志完成、出版，以便就教於學者專家，並可提供讀者利用。

六　研究過程中的意外收穫與樂趣

在訪談的過程中，筆者十分好奇張寶三教授在從事研究工作的過程裡，是否有什麼事情是感到有趣或特別懷念的？教授回答，二〇〇九年八月到二〇一一年二月近一年半期間，在芝加哥大學進行《芝加哥大學東亞圖書館中文古籍經部善本書志》的撰寫，這段時間裡，能夠心無旁騖地在圖書館閱讀經部善本古籍，真是一生中最難得的美好時光，至今仍覺得懷念。在芝加哥大學閱讀善本古籍的時候，每每發現古籍中鈐有一種長條形、紅藍相雜的奇異圖案，有時候則只見藍色長條形圖案。這種圖案到底是怎樣形成的？有何作用？雖然請教過一些前輩學者專家，仍不得其解。二〇一一年二月，回到臺灣後，老師仍持續關心著這個問題。後來在整理臺灣大學圖書館經部善本古籍的時候，在清康熙刻本《通志堂經解》中發現了大量這類圖案，得到了重要的線索。經過蒐集更多資料，反覆推敲，大約可以確定這類圖案應是紙廠印記的殘留。對於這類紙廠印記的形制、形成的可能原因以及在版本學的研究、造紙史研究上的價值等，教授撰寫了一篇論文加以探討，題為〈清代中文善本古籍中所鈐紙廠印記研究〉，刊登在《臺大中文學報》第三十九期（2012年12月）。教授表示，這是在從事善本書志撰作過程中的一個意外收穫，自己也覺得很開心。

七　結語：給青年研究生的建議

在訪談的結尾時，我向張教授提出要求，希望教授能給目前正在從事學位論文研究中的學子一些建議。教授說：「我覺得不管是研究哪一個領域，對資料的正確解讀是研究的重要基礎，因此文獻解讀能力的培養不可忽視。有時候我在學位論文口試或博士班入學考試時，發現有些學生引用古籍中的文獻，容易有標點不當或誤讀的現象，應當多加注意，盡量避免這方面的錯誤。此外，學位論文後面的參考書目，有些學生似乎不太重視，以致產生分類上的不當，或朝代、作者誤記的情形。這些雖然都只是治學的基礎工夫，但仍然不可忽略。」

雖然與張寶三教授的訪談只有短暫的兩個多小時，但筆者感到相當愉快且獲益良多。覺得教授是位個性謙和，治學嚴謹的學者，對於許多小細節皆能給予重視，並充分做好準備。最讓我感到印象深刻的是，雖僅是一個剛見面的學生，但對於我岔出專訪主題，向他求教《五經正義》單疏本與合刻本問題，以及《周易正義》題名問題時，教授都能熱心且詳盡地給予解答，並提供他長年研究所得的看法。我認為，「嚴謹治學，步步踏實」，可以說是張寶三教授的最佳寫照。

乾坤並建，體用一如

——從「新儒學」到「後新儒學」的開啟者林安梧教授

謝淑熙
臺北市立大學通識教育中心兼任助理教授

在船山學研究方面，林安梧教授是現代新儒家中一位出類拔萃的學者。也是第一位全面肯定王船山「乾坤並建」的哲學架構，並把船山與現代新儒學的未來發展聯繫起來的現代新儒家學者。林教授建立起一套船山「人性史哲學」，強調「歷史社會總體」和「人性」的辨證互動。並提出，未來儒學的發展應以一種「批判的新儒學」的態度，在對牟宗三先生儒學進行全面反省的基礎上，著力汲取船山哲學的思想資源，並融通其他學派的思想，建構儒學的新方向。特別在船山的《易》學裡面，通過「兩端而一致」、「乾坤並建」的方式，彰顯了他的哲學系統。因此本文引句中「乾坤並建，體用一如」為主題，來介紹林教授的學術思想內容與學術價值及貢獻，以檢視一代新儒學大師的學術風範。

一　學思歷程

林安梧教授，一九五七年生，臺灣省臺中縣人。曾任臺灣師大國文系教授、清華大學通識教育中心教授兼主任、玄奘大學中文系教授暨經典詮釋學中心主任、南華大學哲學研究所所長、《思與言》主編、《鵝湖》月刊社社長。美國傅爾布萊德（Furbrighter）訪美學人、威斯康辛大學歷史系（麥迪遜校區）（Wisconsin University at Madison）訪問學人。曾多次獲得青年著作獎、行政院第一屆重要學術著作獎助、國科會獎項及計畫。現為慈濟大學宗教與文化研究所教授兼所長、臺灣元亨書院開院導師。

為何會走上文史哲這條學術道路，林老師追溯這段改變他一生志向的緣由，並且娓娓道來：

> 我之走向哲學研究，當然是因為我有興趣，1972年我進入台中一中求學，當時的國文老師楊德英女士（也就是蔡仁厚先生的夫人）教授我們國文與中國文化基本教材。高一的國文課，楊老師教《論語》令我格外感動。她散發出文化的氣息，那傳統的深韻總在課堂上流動。她解《論語》，格外地明白。明白並不只是生活化而已，而是通過合適的概念性用語，後來，我才知道這合適的用語是她與蔡仁厚老師一起學習的，而這些用語最主要是來自牟宗三先生。就在這樣的因緣下，牟宗三先生的新儒學開啟了我對中國文化學習的向度。

林老師國立臺灣師大國文系畢業，受到牟宗三先生的啟發，以及長期以來，堅持哲學必須是一種面對生活的存在思考。一九八二年年初，林老師在當時的《中國論壇》發表了〈舊內聖的確開不出新外王〉、〈當代新儒家述評〉等文章，這樣的思考路向，使得林老師選擇進入臺大哲學所，深入探賾中國哲學與歷史社會的關聯，並在中西當代哲學的激盪下，逐漸陶鑄出一嶄新的哲學方法。

林老師學識的陶鑄與養成，除了師大國文系和臺大哲學所外，就是來自新儒家，追溯至大學時期參與《鵝湖》月刊的編輯工作，並且長期親炙牟宗三先生門下。因而融攝了國文系、哲學所以及新儒家的精華，而自闢後新儒學的另一蹊徑。大體說來，師大國文系培育他閱讀古典文獻的能力；臺大哲學所引領他開啟西方哲學的視野，以及方法論的訓練；因此林老師雖出身新儒家，卻未受新儒家的講法所局限，反而產生新的思維，可以繼續向前思考。這方面的成績，初步體現在一九八六年寫定的碩士論文《王船山人性史哲學之研究》一書，該書隨即在一九八七年獲得首屆行政院學術著作獎，與旅居加拿大哲學家黃秀璣教授並列，碩士論文而有此成績，殊亦難得極矣！林老師在該書中提出人性史哲學之存有觀與方法論，並以此展開人的存有結構與整個歷史社會總體的現象學式的闡釋。

林老師更於一九九一年完成博士論文《存有、意識與實踐——熊十力體用哲學之詮釋與重建》（東大圖書，1993），成為臺灣大學第一位哲學博士。他在博士論文中對於存有、意識與實踐的複雜關聯作出深度的解析，融貫出以實踐為原動點，而開啟一中國式現象學的存有論深度思考。雖然博士論文只是一個嘗試，但是在此後的十年間，林老師一直堅信這是「後新儒家哲學」的可能向度，並且全心投注於此。

二　教學生涯

在清華大學執教十三年，其中包括兼任通識教育中心主任三年。

後來，囿於因緣際會，林老師在臺灣師大傅武光主任極力邀請林老師回母系任教，就這樣離開了清華，回到了臺灣師大。林老師深研學問，也參與大學校政，他深切的強調老一輩要有溫情、有關懷，中年一輩要有器量、有胸襟，年輕一輩要有理想、有衝勁，這樣才能構成一個良好的學術社群。林老師大學本科出自師大國文系，他以一種報恩、回饋的心情回母系任教，行事風格仍不減當年，十足仍是「狂者胸次」。

談到學術研究方面，林老師表示會為真理負責，為智慧負責，繼續堅持真理的追求工作。面對青年學子，強調做學問有三種，端看你選擇的是插花、盆栽，或者種樹罷了。花團錦簇固然美麗，枝葉茂盛同樣令人激賞，但是要讓植物生命長久，並且擁有朝氣蓬勃的生產力，就要從觀念上、實踐上下苦功了。林老師這一番對後學懇切叮嚀的話語，值得大家省思。

林老師「學而不厭，誨人不倦」的精神，與著作等身的卓越成就，堪稱現代博學鴻儒，常令他的學生感佩不已。著作有《王船山人性史哲學之研究》、《存有、意識與實踐》、《中國近現代思想觀念史論》、《當代新儒家哲學史論》、《中國宗教與意義治療》、《儒學與中國傳統社會之哲學省察》、《人文學方法論：詮釋的存有學探源》、《道的錯置：中國政治思想的根本困結》、《儒學轉向：從「新儒學」到「後新儒學」之過渡》、《儒家倫理與社會正義》等十餘部，以及專業學術論文二百餘篇。再者，林老師對於民間書院講學之風，極為重視，曾以普通話及閩南語開講《四書》、《金剛經》、《易經》、《道德經》等，推動民間講學，不遺餘力。二〇〇六年更協助王財貴教授成立全球讀經教育基金會，擔任基金會董事。二〇〇八年為傳承中華道統文化，創立臺灣元亨書院，獎掖後學不遺餘力。

三　學術成就與貢獻

林老師傳承牟宗三先生的學問，進一步開啟了「後新儒學的思考」，這樣的嶄新起點「是一轉折，是一迴返，是一承繼，是一批判，是一發展」。總的來說是「從『兩層存有論』到『存有三態論』的發展」，是從「新儒學」到「後新儒學」的一個轉向。因此林老師被譽為當代新儒學第三代中，極具創造力的思想家。茲簡述林老師的學術成就與貢獻如下：

（一）「存有三態論」的建置

林老師主張由牟宗三上溯至熊十力，以接造化之源；由熊十力進而上溯至王船山，以注重歷史社會總體。在牟先生「兩層存有論」之後，林師進一步提出「存有三態論」，綜合中國哲學、西方哲學與馬克斯主義哲學而開啟了一批判性思維，強調「社會公義」優先於「心性修養」，主張「由現代化新外王的學習」進一步重新調節出一「公民社會」下的「倫理道德」。林老師認為儒學應脫開帝皇專制化所導致的「道的錯置」（misplaced Tao），應落實於生活世界之中，開啟其批判性與生活性。

牟先生繼承了宋明理學傳統中所強調的心性論與天道論，主張人可以經由修養的工夫，使內在的本然之我與宇宙的造化之源通而為一。牟先生哲學不同於康德哲學的關鍵點在於強調人具有「智的直覺」，然而這樣的一個哲學構造方式卻可能忽略了中國傳統中作為生命動源意義下非常重要的「氣」的問題，使得心性主體過分傾向於純粹義與形式義。依林老師看來，儒學不只是「心學」，而應是「身心一體」之學，應該要從主體性的哲學回到「處所哲學」或「場域哲學」之下來思考。「存有三態論」的理論架構，認為必須要解開與

「存有的執定」相伴而生的種種文蔽，返回到「存有的本源」，才能使存有之總體本源於生活世界中加以開展。這樣一個「存有三態論」的理論構造，可以化解掉儒家只是作為心性修養之實踐意義下的形態，而回到一個總體的生活世界，在歷史社會總體裡談安身立命。不僅可以貫通傳統儒、道之經典傳統，也可以開展出儒家之「實踐人文主義」的真實意義。

（二）融通儒道佛三教

在方法論上，林老師以船山學、十力學及當代新儒學為底，上契六藝經傳，並汲取了現象學（phenomenology）、詮釋學（Hermenuentics），而做了一詮釋學的存有學探源，締造了「道、意、象、構、言」五層詮釋的中國詮釋方法論。不同於當代新儒學之以儒家為主流，道家為輔，佛為旁支；面對廿一世紀文明的新挑戰，林老師主張融通三教，展開對話與交談。美國哈佛大學東亞系博士候選人柯文杰（Jason Clower），訪談林安梧老師〈論當代漢學之研究〉，其間談到「儒道佛」三教，林老師說：

> 佛教是「縱貫橫講」，所謂的「橫講」是平鋪的展開，平鋪的展開而又具有某種縱貫相，但畢竟只是平鋪的展開，並沒有立體超越的道體。……佛教是「緣起性空」，牟先生他的意思是這樣的！這樣我講你就可以理解，牟先生他也認為道家「縱貫橫講」，因為他也認為道家不立那個超越的恆常實體。所以他說道家的「道」那是「不生之生」。……我認為「儒」與「道」是同源而互補，他們所講的基本上都是宇宙的總體根源如何顯發，就顯發來講創造。（《臺北大學中文學報》第3期，2006年7月）

這些年來，林老師更深研哲學治療學之可能，集結論文成書，如《中國宗教與意義治療》、《台灣文化治療：通識教育現象學引論》、《新道家與治療學》、《儒家倫理與社會正義》等都是其最新的發展。

（三）開啟「後新儒學」的新路向

二〇〇八年澳洲大學亞洲研究系John Makeham教授在哈佛大學出版社的專著《Lost Soul: "Confucianism" in Contemporary Chinese Academic Discourse》，更列有專章〈Lin Anwu's Post-New Confucianism〉討論林安梧教授的思想。二〇〇七年首都師範大學陳鵬教授於「廿世紀中國人文社會學科學術研究史叢書・哲學專輯」《現代新儒學研究》第九章〈林安梧：後新儒家哲學〉（頁273～297），列為專章研究討論林安梧教授的思想。又中國社科院研究生院哲學博士論文《新儒家的船山學》第四章〈回到船山：一種批判的新儒學〉（頁80～97）對林老師之船山學及其後新儒學思想展開研究。

有關林老師所開啟的「後新儒學」所帶來的「儒學轉向」正在擴延中。「後新儒學」是一「道德的人間學」這樣的一種思考，是在現代化的發展、現代化的學習歷程裡，把傳統的智慧、經典的意義釋放出來，參與到整個現代化這個大流裡面，彼此間有一種互動。在這過程裡，因為互動的調節，而有一個新的生息、新的發展。正因如此，這十幾年來，林老師有一個提法「不是從內聖開出外王，而是在一個新外王的發展過程裡，如何調節內聖」。當然，這樣彼此互動的過程調節的「內聖」，又返照回來開出「新外王」，「外王」與「內聖」是一個互動循環的發展。林老師刻意指出應該正視「外王」的重要性，他認為整個社會結構的變化，人跟人之間的關係也變化了，所以，他強調「我們應該更正視社會的正義，不必太注意人的脾氣與修養」。

四　未來的展望與期許

林老師語重心長的說，這些年來一直致力於將傳統經典的話語系統，經由現代的生活話語，以及現代的學術話語將它轉譯出來，進到我們的生活世界中，成為我們公共的論述。唯有如此，我們才可能經由經典意義的釋放，參與交談，進一步而有新的融通、轉化與創造。舉例說明，像《老子道德經》第三十八章裡提到「失道而後德，失德而後仁，失仁而後義，失義而後禮，禮者，忠信之薄而亂之首也。」大體說來，「道」就是總體的根源；「德」就是內在的本性；「仁」就是彼此的感通；「義」就是客觀的法則；「禮」就是具體的規範。這是林老師經過了二十年左右的琢磨過程中，慢慢地確立。中國哲學的生化、活化，如何回到一個真正的生活，讓它能繼續長久下去，這一點是非常值得關心的。古典話語，是要好好活用的。而且中國哲學的研究，要在省察中延續、在批判中瓦解、在承繼中創造，理想，就是要多元而一統，對話而交談，交談便須得容納各種聲音；中國哲學和西方哲學應該要互通，中國文化要是全球多元文化中的其中一員。大家應該有「廿一世紀是中國文化努力地參與到世界文化的世紀」的共識。

用生命織就學術網

——張麗珠教授與清代學術思想研究

商琭
國立玉里高中國文教師

踏入彰化師大國文系教授張麗珠先生的研究室，首先映入眼簾的一幅行書立軸：「誰能赤手斬長鯨，不愧英雄傳裡名？」這是張老師二十餘歲擇定字句，由曾昭旭教授題贈的書幅；而立足在「清代新義理學三書」之撰著基礎上，再進至一部《中國哲學史》之「哲學通史」和一部《清代學術思想史》之「斷代哲學史」寫作，則是張老師盈滿豪氣的人生宏願。

那年，在張老師腰椎開刀的住院期間，病床上她卻忙著書寫先前允諾中山大學「清代國際學術研討會」的論文，她說學術與承諾優先。問她羸弱的軀殼裡怎麼裝下這些氣魄？話匣子打開，她說……，我則以弟子的近距觀察，撰為下文。

一　躲在廁所夜讀的少女

一九五八年，張教授出生在彰化，那是極為貧窮的年代，她的童年歡樂也極其貧瘠。女紅極好的張教授，幼年起，生活裡便充滿了響應當時省府提倡「客廳即工廠」的改善貧窮計劃的手工勞動。小學二年級她開始縫製禮服亮片、縫製雨傘、穿引電子零件……；國中時，曾經一整個暑假，每天從睜眼到就寢，終日操作機器敲打螺釘、螺帽，每晚臨睡前洗淨油污雙手後，就著微弱床燈，用針尖仔細挑出刺入雙手的鐵屑，隱隱自期著「苦其心志，勞其筋骨」，希望是因天將降大任。

張教授的父親是基層公務員，一家五口擠在一房一廳的小宿舍裡，最痛苦的是，沒有地方讀書以及父母不准夜讀的命令。可是從未買過參考書的她，如何應付偌多中學考試與英、數等課業練習？張教授總在床上凝聚全神、不敢闔眼，傾耳靜候父母的勻稱鼻息聲，然後躡手躡腳從被窩爬出，手拿拖鞋、輕掀門簾、閃入廁所，先用報紙將細微門縫塞住，不讓僅有的兩燭光暈黄外瀉，並留意翻書時不能發出書頁聲，全程直挺挺地站立在僅容旋身的一錐地上，但仍然經常被斥罵聲逐回房間，再靜候下一回合的鼻息聲。一頁頁、一夜夜，從童幼到少女。

直到高中畢業前都山居的張教授，在哈氣便成霜白的勁寒冬晨裡，十幾年上學途中面對山風凜冽、晨霜耿耿，她的自我訓練是：即使凍僵，都不准將手插入衣袋。張教授回憶道，這是深烙她心版的一段自小磨練，奠下了她日後不論多麼艱苦、疲憊、挫折，仍然奮發的堅毅態度，例如那二十五年未曾間斷的治療與復健中、始終堅定不懈的學術精進。

二　求學歷程與春風化雨

張教授的大學、碩士、博士都在高雄師大國文系完成。大學畢業後以優秀成績分發進入高雄市立光華國中，爾後，「我不應僅止於此」的念頭驅使，使她從碩士到博士，身兼妻子、媳婦、母親、教師與學生五重身分地蠟燭五頭燒，既付出了沉重的健康代價，煢煢身影也道盡了人生滄桑。從國中到中正高工、國際商專、正修工專、高雄醫學院、臺南師院、高雄師大、中興大學，到彰化師大，留下了一個弱女子的步步腳印，奮力攀向學術高峰。

筆者有幸親聆教誨，張教授上課總是傾注全力，纖細的身軀、柔美的聲音，完全掌控全場，精彩絕倫得令人屏氣凝神，不敢稍有懈怠，就怕遺漏精彩。筆者就讀碩士班時，選讀張教授的清代思想專題課程，每次下課全體同學領受其精神與精闢的授課內容，如雷的掌聲總是延續許久。這種情形只在張教授的課堂上出現，至今仍難忘懷。張教授對學生的教不厭、誨不倦與無私精神更令人感佩，在她指導筆者撰寫碩士論文期間，從論文格式、建立綱要、到文字語法與逐章內容的討論超過數十次，每月一次的論文諮詢，同門畢至，從事前閱讀學生論文、到一整天的講解指正，她那迫不急待欲把「金針度人」的熱誠與誠懇，令人動容。

三　張麗珠教授的著作與學術貢獻

張教授常說：人不能與草木同朽，著作不能如草木榮華之飄風。

張教授的學術著作可以大分為：清代新義理學、學術史、詞學等三大類別。

（一）傳承清代思想的「清代新義理學三書」

目前學界對於清代學術研究的專書，最有系統且具影響力的，就是張教授的「清代新義理學三書」：《清代義理學新貌》、《清代新義理學——傳統與現代的交會》、《清代的義理學轉型》，約計百萬文字。三書之全部篇章皆經單篇論文的嚴格雙外審，先後發表於國內外學術會議及著名期刊。

學術界清代思想的一片天空，是由張教授所開啟的；首開華文世界系統研究清代思想之風者，就是張教授撰著的「清代新義理學三書」，其論證確鑿，令人不容置喙。過去，學界每對清代思想不解、誤解，並受到諸多非學術因素的影響，譬如明清易鼎的反清復明意識、清末革命的推翻滿清思想、甚至大陸淪陷的創痛等歷史與政治因素之牽纏，造成對清代思想並不客觀的評價，至言清學缺少思想性。

這就是張教授所亟欲改變的學界成見。她站在儒學之現代化轉型實起於儒家文化之「自轉化」，然後才在門戶洞開後與西學合流、並匯聚成為現代化潮流的看法上，轉從高度重視清代思想性的角度出發，主張重新評價清代思想的價值意義。在學界慣言的「西學外鑠」說外，張教授積極探索傳統文化中足以促成儒學更新內涵的內在機制，尋覓促使儒學轉入近現代化進程的本土性資源。這是她多年的學術重心，亦其「清代新義理學三書」先後出版之旨歸。

1　「清代新義理學三書」之一

《清代義理學新貌》，是書主要肯定清代思想之「有」，內容除清代思想總論外，並立足於各家原典上進行思想分論，突出清學之形下經驗視域理論建構，如「通情遂欲」觀、重智道德觀以及邁向群學的社會倫理等。書中論題包括應該從什麼角度看待清代學術；清代考據學興盛的原因；戴震「發狂打破宋儒《太極圖》」的重智主義道德觀；焦循發揚重智主義道德觀的「能知故善」說；淩廷堪「以禮代理」的禮治理想暨乾嘉復禮思潮；阮元向「群學」過渡的「相人偶」仁論；乾嘉學術中的「學」、「思」之辨等，為清代義理學打開了新視野與新進路。

2 「清代新義理學三書」之二

《清代新義理學——傳統與現代的交會》，主要闡明清代新義理學所發揚的經驗價值，是儒學邁向現代化進程在思想變遷上所必要的「價值轉型」，證明清代是儒學從傳統思維轉趨現代化的思想轉變期，具有銜接、轉換思維的承先啟後重要作用。書中論題包括：關於乾嘉學術的一個新看法；理學在清初的沒落過程；紀昀反宋學的思想意義——以《四庫提要》與《閱微草堂筆記》為觀察線索；「漢宋之爭」難以調和的根本歧見；戴震新義理學的「價值轉型」意義；以利為善——清儒對傳統義利關係的解構與重建；會通傳統與現代的清代「情性學」等。

3 「清代新義理學三書」之三

《清代的義理學轉型》，全書主要從經學、文學等方面，闡明清代思想皆與之互證而呼應，並析論清代義理學在中國學術史上具有會通新舊傳統的重要意義，是為儒學從「理學」到「氣學」演進歷程中的新思想典範，抉發出清學的真正意義。書中論題包括：「何圖更於程朱之外，復有論說乎？」——概說清代的義理學轉型；典範過渡——陳確的新理欲觀與顏元的「實行」觀；清代的義理學轉型與「漢宋之爭」；清代的義理學轉型與《四書》詮釋——以《論語正義》、《孟子正義》為觀察對象；清代的義理學轉型與文學之呼應——以《紅樓夢》、《儒林外史》為觀察對象；清代的義理學轉型與儒學之現代化；翻過乾嘉新義理學又一頁——從「變器」到「變道」的晚清現代化啟蒙思潮；從「宋明理學」到「明清氣學」的儒學嬗變等。

該系列由臺北里仁書局出版的專著，完整的思辨理路與理論架構、學術內容，被目前學界推為最能闡發清代思想的完整理論，在兩岸三地引起極大迴響，為研究清代思想不可或缺的重要參考叢書。

4 《全祖望之史學》

是書於二〇〇九年由花木蘭出版社收入「古代歷史文化」研究輯刊中出版，該作係改寫自張教授的碩士論文。張教授於二〇〇五年曾代表臺灣，應邀在浙江寧波舉行的「全祖望誕辰300周年紀念會」發表書中若干篇章，並進行專題演講。

（二）傾心於瑰麗文學之研究與書寫：詞學專書

詞為我國韻文中最能曲盡纏綿之情的歌詞藝術，張教授性情深好固有文化中最美麗的文學體式：「詞」，她以細膩、浪漫的心思，將那一篇篇或悽惻怨悱、精豔絕人，或吞天洗月、豪氣邁往，卻總是掏心掏肺把人心思都說穿了的詞篇扉頁，從詞人傳略、浪漫風月到背景析論、詞作闡釋，都以適合現代人閱讀習慣的語體文道盡其曲折，先後撰著了《袖珍詞學》與《袖珍詞選》。《袖珍詞學》融會貫通千年的詞學發展史與名篇賞析，帶領讀者在最短的時間內獲得最完整的詞學概念，也成為喜愛中華文化、卻難於接受艱深注疏的現代人最佳閱讀選本；《袖珍詞選》則依年代選錄唐、五代起到清末民初的詞作名篇，共七十八家、二百四十餘篇詞作。張教授一概以流暢的白話語體，將深奧字句在「注釋」中簡明析釋，有關詞人寫作時的心境、背景以及所傳達的情境、意境，也在「簡析」中以心領神會的方式指點之，並證諸當時的詞學發展概況。筆者曾於任教的工教系選用該套書，使得原本對於中國文學興趣缺缺的大男生們愛不釋手，足見張教授當初定位的、為廣大中文世界書寫的詞學入門書，果然收效宏大。

（三）學術史書寫：《中國哲學三十講》、《清代學術思想史》

《中國哲學史三十講》是張教授歷經十年之「清代新義理學三書」深耕後，第一次收割成果，完成了張教授將「清代思想」提昇到「中國哲學史」高度上加以講論的心願，其間苦辛難為人道。是書由里仁書局於二〇〇七年出版。

這是一部以講論方式寫作的中國哲學簡史，各家都經過提鍊其思想內涵、理論立基點、思想轉折點，並條列其核心綱要，以理論架構的縱深方式呈現其思想內容，以此別於多數哲學史著作。是作對於每一論題之處理，皆涵蓋時代起迄、思想家、學說理論、方法論和問題意識等五個層面的梳理工作，著重歷史線索與脈絡發展之呈現，探討其所以形成之動因，建構環環相扣的哲學史全貌。《中國哲學史三十講》顯別於其他哲學史專著處，譬如根據出土新材料，如馬王堆簡帛、郭店楚簡等，補充了孔孟之間百年空白的儒家早期性論、老莊思想外另一系的黃老道家；又重新定位評價在儒家本位出發下、長期遭受貶抑的墨家與法家思想；並以全新角度評價漢代思想、重新建構清代思想史；復將論域銜接至民國以來的現代新儒家，使吾人能知己身思想之所由來，深入認識中國哲學思想之全貌。尤其難能者，該作是華文世界近數十年來最新運用出土文獻、結合現代論文規範，並以客觀公允的嶄新視角，重新書寫的中國哲學史著作。該作於二〇〇九年獲得國立編譯館「全國重要著作」英譯補助，即將以英語翻譯本發行全世界，開啟推廣臺灣學術及中華文化之另一新徑。

至於張教授的最新力作：重新改寫清代思想史的《清代學術思想史》，則是張教授長達十五年之清代思想及我國學術史長程寫作計畫的最後階段；惟其任務艱鉅浩大，在估計將達百萬文字的著作中，目前約已完成八十萬字。

另張教授所編纂，譬如已由萬卷樓出版之《臺灣前行代詩家論》等茲不具論。

四　餘音

張教授集美麗與智慧於一身，人群中總是目光焦點所在；在學術上嚴格而犀利的她，卻有著最溫暖的心與感性的一面。長期為病痛所苦的她，忍受著頸椎、腰椎與肌肉病變，她說習慣就好；而她會抱著婚變的學生痛哭，為家中老狗宿疾落淚，也會為了認養貧童而刪削兒子零用錢。她的理性思考、冷靜分析的學術性情和她的熱情浪漫個人性情，很難一齊聯想；她一手寫著「清代新義理學三書」，一手寫著《袖珍詞學》，正是理性與感性的平衡。不論身居何處，張教授永遠心繫學術；張教授常與筆者吃著美食、喝著咖啡討論清代義理學，即連在海邊聽濤也攜帶論文，看著張教授密密麻麻的刪改痕跡，令筆者心生敬畏。

問張教授得過什麼獎？她說微不足道！忘了。筆者只好自行翻箱篋，據知張教授曾連續數年獲得彰化師大傑出研究獎暨文學院、文教基金會等研究獎勵，教育部英譯補助獎勵，國科會補助出版獎勵，南郭國小傑出校友……；曾經應邀於北京社科院、香港大學、湖北大學、浙江寧波及臺灣各地演講；曾經連續多年獲邀海外發表論文，如香港大學之「明清學術國際研討會」、山東濟南之「儒學全球論壇」……；曾經擔任貴陽孔學堂學術諮詢委員、武漢大學客座教授。至於國內，那就更不在話下了。專著之外，另曾發表論文約五十餘篇，中文學界罕有不知其大名者。

數十年走過，從課桌到講桌、從國內到國外，張教授借用清儒錢大昕的話說：「人皆可忠義，不可皆儒林。」她自問：「我是否配得上我所遭受的苦難？」——惟極致焠鍊為能見本質；她的一生，只想文化眾生。

開拓經典詮釋與中國思想史研究的新境

——鄭吉雄先生二〇〇八年前的業績與方向

傅凱瑄
臺灣大學中國文學系博士候選人

近十年（1999～2008）來臺灣和東亞地區掀起了一股研究中國經典詮釋傳統以及東亞經典詮釋的風潮，中國思想史的研究也因為出土文獻的紛出而有長足的發展。許多東亞學者紛紛投入這兩方面的研究。鄭吉雄先生不但躬逢其盛，更因為領導許多研究計畫，在這兩方面獲得不少研究成果。本文謹以訪談記敘並用的形式，簡介鄭先生的業績與方向。

一　青少年時期

鄭吉雄先生於一九六〇年出生於香港。由於年幼家貧，自小即養成刻苦堅毅、自己解決各種問題的習慣。他常常提到，他的出生地點和時代，對他個人深刻的影響。第一是宗教的薰陶。鄭先生小學唸基督教學校，中學唸天主教耶穌會士創立的華仁書院，裡面約一半教師是來自英國的神父。十餘年的《聖經》教育，讓他領會到宗教的意義，對「人的存在」這個大問題產生了好奇。而香港社會有崇尚西化的一面，也有保守傳統的一面，讓他可以廣泛地接觸到東、西方的不同文化，而在不同文化的衝擊下，也讓他對於「中國文化」的內涵深感興趣，故自中學時期即醉心傳統文史之學。由於香港有特殊的政治和地理條件，讓他能自由地接觸到海峽兩岸對於傳統文化不同的解讀。雖然在十七、十八歲時曾一度對社會主義產生狂熱，但終於回歸傳統文化。這段時期最特別的經歷，莫過於鄭先生自十歲起即習武，先後拜師學習正宗南少林和北少林拳術。武術訓練讓他在體魄和意志兩方面都得到鍛鍊。鄭先生十八歲偶然檢讀《文史通義》，對於章學誠的思想極佩服，也成為日後研究清代學術的契機。而在近代學者中，鄭先生尤喜歡錢穆先生的著作，每得一書，即反覆誦讀，《國史大綱》更成為長期置於床頭的書籍，當時他雖未考慮往學術界發展，但這種對文化的愛好與熱情，加上二十歲那年在商務印書館擔任編輯，廣泛接觸各種學術典籍，更為日後的研究之路打下堅實的基礎。

二　奠定學問基礎

就讀臺灣大學中國文學系期間，鄭吉雄先生對於文學、經學、思想各種學科均有濃厚興趣，當時他最嚮往的是傅斯年「歷史語言」的方法與目標，希望能運用歷史語言的方法，研究中國上古思想。一九八六年考取臺灣大學中文系碩士班後，選修何佑森教授的「中國近三百年學術史」，始窺清代學術的門徑。當時何教授已有許久不指導碩士生，一九八七年年初某次課後，何教授囑鄭先生到研究室，詢問他對於清代學術是否有興趣，如有興趣則可以破格指導，鄭先生當下即拜入師門。由於鄭先生原就對章學誠《文史通義》中的思想頗感興味，自此開始隨何教授研究浙東學術，以《經史與經世：清代浙東學者的學術思想》為題，撰寫碩士論文。

碩士畢業後，鄭先生升等為講師，並繼續攻讀博士班，在追隨何教授研究浙東學術之餘，同時也受嚴耕望「研究一個時代必須通曉三個時代」的教誨，特別喜歡研讀宋明理學書籍，尤著眼於宋明理學如何轉折到清代學術的問題，曾發表〈陽明學說的三點特質及其在學術史上的意義〉一文，並著有《王陽明：躬行實踐的儒者》一書；在清代學術則著眼於清代中葉如何轉折到晚清思潮的問題，遂以龔自珍思想為主題撰寫博士論文《龔自珍「尊史」思想研究》。很少人知道，自一九九六年前後開始，鄭先生其實深陷某種瓶頸。回想這段過程，他自己分析道：當時何先生思想已進入畢生最成熟的階段，圓融古今，兼綜漢宋；而他學問尚淺，和業師的思想存在距離感，在摸索之中不得要領，於是依循師命，泛覽百家，然而內心的徬徨始終揮之不去，既對自己所寫的文章不能愜意，又覺抓不到真理何在，循學之途不知道該從何處入門。至一九九八年，鄭先生開始留意到從清儒「治學方法」入手，先注意到由清初折向乾嘉前期的標杆人物——全祖望，又從浙東學者毛奇齡、黃宗羲、胡渭學術中特別關注到「圖書象數」這一門學問，探尋其中深意，如此才漸漸打開了日後研究的格局。

三　運用「知識多元化」的理念從事研究

二〇〇〇年鄭先生參加黃俊傑教授「東亞近世儒學中的經典詮釋傳統研究計畫」（教育部大學學術追求卓越計畫）的團隊，執行原由鍾彩鈞教授負責的分項計畫「中國近世儒者對《易經》的詮釋」。這一年也成為他個人學術生命的一個重要轉折。此後，鄭先生從「治學方法」悟到中國學者詮釋經典，自有其特殊關懷與方法。於是從此一進路切入，一方面研究以戴震為中心的乾嘉學者經典詮釋，另一方面則著眼於《易經》的圖象詮釋，廣泛開展各項研究。倘若鳥瞰式地從「博」、「約」兩方面考察鄭先生十年來的研究重心與業績，在「博」方面，他取得研究成果的主題相當多，包括《易》圖、圖象詮釋、《周易》經傳關係、經典詮釋中的語文分析研究、觀念字研究、經典詮釋方法、戴震思想、晚清時期的先秦諸子研究等等。但從「約」方面看，則鄭先生關注的重點，不外乎「經典詮釋研究」與「中國思想史研究」兩大主題。

在上述這兩大主題的研究過程中，鄭先生最大的心得，是發現「知識多元化」的奧祕。人文學是研究「人」的學問，每個人都站立在自身心性的基礎上窺探世界的奧祕，但人和人之間又有種種倫理、社會脈絡的糾纏，和外在的世界，包括自然界和人文界都永遠處於整體性地互動的狀態。所以他認為，學術界分科專業當然有其道理，但「知識」本身的整體性，卻不能因此而被切割。一個研究課題，往往牽涉許多方面的問題，不廣泛運用各種知識去觀察，就很難切入。鄭先生以自身的經驗為例，加以說明：他研究浙東學術約十年，從浙東學者的成果中注意到《易》學尤其是《易》圖的研究，最後才醞釀出《易圖象與易詮釋》（2002）一書。約於一九九八年起他從清初浙東學術轉而研究清中葉的乾嘉學術時，特別注意到考據訓詁的方法論問題，以及此一問題在經學與先秦諸子學中的滲透。由此他一方面研究晚清諸子學思潮復興的問題，一方面致力於從「語文」在詮釋理論的重要性，並嘗試用以考察先秦經典的詮釋學現象。他試著以《周易》為考察對象，透過卦爻辭「字辭演繹」的現象重新檢討《易經》與

《易傳》的關係，以及傳本與出土《易》文獻各種版本存在各種異文的意義，進而逐步發掘先秦《易》學的哲理世界。這是一個從清儒學術思想研究，一步步回溯到先秦經典研究的過程。很有趣的是，他又嘗試將這個過程倒過來做。他藉由《易》理陰陽相反相合的關係，以及卦爻辭存在的「身體→語言→義理」的世界觀開展之模式，作為理論基礎思考近世儒學的兩種世界觀——宋儒依循哲理進行經典詮釋所呈現的世界觀和清儒依循訓詁考據進行經典詮釋所呈現的世界觀——二者之間的差異，等於又從先秦經典研究（主要為《周易》研究），一步步反饋到清代學術思想定位的研究。同一時期他也利用過去研讀浙東學者的史學著作所領悟到的社會學、方志學等知識，探索清代思想中的「社群意識」這個議題，試圖用此一概念來解釋清代思想過渡到二十世紀中國思想的整體變化。

上述的研究經驗，讓鄭先生領悟到，將不同知識領域的研究相互滲透和支援，至為重要。他也利用這樣的研究方法，將經典詮釋的研究推擴到其他的新課題，譬如他研究宋元明的《易》圖，就將「圖象詮釋」的方法，引申到符號學的研究，又反過來檢討《易經》卦爻、卦位、卦畫等作為一整套相關的符號和圖象，所涉及的詮釋學義涵和思想史意義。他也認為過去學者研究「象數」，多偏重在重新闡發漢儒的理論，不免「述古」有餘。他從傳統的「象」的學問發展出「圖象詮釋」此一新的學科，再從傳統的「數」的學問轉化為研究中國古代哲學中的數字觀念與宇宙論中的數字秩序，希望能從傳統學科中導引出新議題。鄭先生常說，人文學的研究，其實有點像自然科學「做實驗」。自然科學的實驗要大膽嘗試將不同成分的元素放在一起，看看會產生什麼反應；人文科學的實驗則是將不同屬性的知識和課題相互參較，也往往會產生創新的結論。最近鄭先生在北京大學發表新的論文〈《易》儒道同源分流論〉，探討《易經》與先秦儒家、道家思想起源的問題之關係，也許可以代表他另一項新嘗試。

鄭先生在講授「中國思想史專題討論」時，曾經說「一部中國思想史就是一部中國經典詮釋的歷史」，近代許多思想史學者研究中國思想的發展歷史，之所以獲致不同的結論，關鍵在於他們對於歷代各部經典給予不同的詮釋，所以他認為「經典詮釋」的研究，其實是與「中國思想史」的研究具有密不可分的關係。二〇〇八年一月鄭先生在北海道中國哲學會當月例會中主講〈戴東原「群」「欲」觀念的思想史回溯〉，就是驗證此一理念。他藉由檢討劉師培和章太炎詮釋戴震的「群」與「欲」觀念，回溯儒家禮義的興起，是源出於「飲食」和「婚配」的人之大欲。二〇〇八年年底他剛完成的另一篇論文〈先秦經典「行」字字義的原始與變遷——兼論五行〉（與楊秀芳、劉承慧、朱歧祥三位教授合著）中，則整合了語言、文字、語法等專業學科的知識，分析了「行」字的意義，並透過文獻、經義、字義、哲理的比較，指出「行」字字義的多義性和分歧性，進而論證「五行」觀念的源起與發展，檢討了歷來中國思想史學者對「五行」觀念的錯誤了解。由此看來，將「經典詮釋研究」和「中國思想史研究」這兩個不同領域的研究工作整合在一起，確實是十分重要的。

鄭先生已經出版的著作，除了四十餘篇學術論文外，尚有專著四種：《王陽明：躬行實踐的儒者》（1990）、《易圖象與易詮釋》（2002初版、2004再版）、《戴東原經典詮釋的思想史探索》（2008）、《周易玄義詮解》（2012）；編著的學術論文集則有：《東亞視域中的近世儒學文獻與思想》（2005）、《語文、經典與東亞儒學》（2008）、《觀念字解讀與思想史探索》（2008）、《周易經傳文獻新詮》（2010）等多種。我們從這些著作的課題，可以充分看出鄭先生學術興趣的廣度。

四　學術研究的基本方法與態度

鄭先生除了研究外，也非常重視教學。在教學方面，我覺得鄭先生有幾點意見值得重視：首先，他深信每個人的個性都不相同，每個人的生命都有其獨特的優勢與潛能，所以學術的傳承，絕不應要求學生對自己亦步亦趨，而是要鼓勵學生廣泛地從不同的學者身上汲取各種條件和優點，發展源出於自己個性的研究興趣。他常常說，真正「有為」的學生，不應該重複老師做過的研究工作，甚或傳述老師的教言都應儘量避免；應該要體察自身的性向，開創自己有興趣的領域。

其次，他指出理論研究必須植根於文獻考察，文獻研究也必須提升至理論層次。步驟上，應該儘量先考索文獻再探求其中的詮釋理論，勿先横一理論在胸中再考察文獻。正如詮釋的「形式」與「意義」，也是相互支持的。「形式」和文獻一樣是具體的，「意義」和理論一樣是抽象的，但抽象和具體之間是互相依存的，就像「形」和「影」的關係。譬如「以經釋經」，人們可以理解為一種方法形式，就像「圖象」是一種形象形式一樣；但要謹記這些詮釋的「形式」自有其理論意義，必須深入了解，才能弄清楚文獻背後的「意義」。

最後，他強調人文學研究必須注意不同的「傳統」。譬如學者從事詮釋學的研究，就要先在觀念上確立一個明確的「詮釋傳統」理念。鄭先生常常告誡同學，「比較」研究最危險的就是面對兩個研究對象時，先論二者之「同」，再論二者之「異」；應該反過來，先確立其間之「異」再論其「同」。以中國經典解釋傳統和歐洲詮釋學傳統而論，兩者分屬兩個歷史文化體系，必須先分別而觀察其異，再探討其相同之可能。

認識鄭先生的學者也許會有一個印象，覺得他執行很多研究計畫，也常常舉辦或出席學術研討會，一方面很好奇他怎麼安排時間，另方面也想知道他如何規劃。鄭先生向我表示，很少人知道他其實是一個「動中取靜」的人，表面上常參加活動，實則他心裡非常沈靜，多年來想來想去的，也就是那麼幾個核心的問題。平日多藉由各種活動與計畫，四面八方地聆聽各種聲音，一一放在心裡消化，與自己思索的問題相激盪，所以工作上雖極為忙碌，心裡卻是綽有餘裕。至於研究計畫的規劃，鄭先生認為這是非常嚴肅的課題。若是個人的計畫，他一貫的做法是找出一個領域中最關鍵的問題，以讀書心得為基礎，游觀諸家說法，抓到問題的核心，再設定約六年至八年的時程，訂定若干題目，逐一解決外圍相關問題，最後解決核心問題，雖然觀念最初成形之時，通常對於可能獲致何種結論，已有一個大概的想法，但在研究過程中，又必然碰觸到各種新材料與新問題，最後的結論往往超出預期。以他研究乾嘉學術思想為例，鄭先生最初僅注意到「以經釋經」作為考據學方法論的意義問題，但他以戴震為中心，思考宋明理學人性論乃至於整個清代思潮的問題，竟引導出「社群意識」的問題，為晚清思潮提出了另一種可能的解釋。研究工作饒富趣味，實似遊戲，於此可見。至於整合型的計畫，鄭先生認為計畫主持人邀請成員時，除考量其研究方向與計畫主題是否相契外，也要尊重團隊成員的興趣與專長，先以此為基礎提出自己的想法，仔細思考大家的回應與意見後，再調整大方向，二度徵詢各成員的看法，如此兩三次慢慢往復討論，才能整合出一個真正的「整合型研究計畫」。總之，溝通交流是絕不可少的，因為人文學本來就是一種抒發性靈的研究工作，必須異中求同，先尊重每個人的性分，再尋求共識；絕不能像自然科學推動計畫那樣，先標榜一位「大師」或某個「權威」來指揮團隊成員。鄭先生很感慨近年來人文學界一些所謂「整合」，主持人過度強調「領導」，只考慮貫徹自己的意志，對於不同的專業或訓練，未能充分尊重。他很懷疑，當前亞洲各大學追求卓越的現象，除了虛構出一些美麗的數據、膨脹了主事者的欲望和私心外，對於學術的提升，究竟做到了多少？

五 學術需要熱情

訪談最末，我好奇地請教鄭先生：如何才能有源源不絕的靈感，撰寫這麼多學術論文？鄭先生表示，撰述一事，絕非信手拈來，援筆可立就，而是奠基於長期的思索的工夫。古人說「博觀約取，厚積薄發」大約是這樣的意思。有些課題他已醞釀了二十餘年，但總覺自己力有未逮，不敢貿然下筆，所以他不斷閱讀思考，累積自己的學識，直到近幾年才豁然開朗；有些課題則是在聆聽演講或參加研討會時，接觸各家不同的看法後所激盪出的火花，之後再反覆思考，深入辨析，方能著手撰作。而且成文以後，還要經歷漫長的修改過程。

而又是什麼力量促使他不斷思考問題，解決問題呢？鄭先生笑著說，學術研究本來就是條寂寞的路，學者如果只將研究當作謀生的工具，久而久之，自然會出現職業倦怠，半途而廢。能讓一個人忍受這種孤寂而不斷向前邁進的力量，只有對學術的巨大熱情。這種熱情不僅是全力從經典中思索、探尋古人之意，更重要的是，要有一種對人、對生命的真誠關懷，唯有如此，才能注意到當代所面臨的種種新問題，以新的角度詮釋經典。而學者若能持續與經典對話，反躬自省，自然能以更開放的心胸看待萬事萬物，自己的生命亦能獲得一種新的詮釋。同時，這種熱情也會感染他人，吸引更多人投入研究工作，繼續灌溉人文園地，這正是從事學術研究最有意義也最迷人的地方。

鄭先生曾在〈論《易》道主剛〉一文，闡釋《易》所突顯的是剛健、積極精神，而在這次訪談中，我也深深感受到鄭先生剛健進取的學術精神。《易・乾・象傳》曰：「天行健，君子以自強不息。」相信鄭先生豐沛的學術熱情，必能持續為經典的研究注入新活力，也必能感染並鼓舞更多青年學子投入經典的研究工作，讓人文學的花圃，百花齊放，美不勝收。

以教學與研究安頓身心的實踐者

——陳金木教授專訪

黃絢親
臺北市立士林高級商業職業學校國文教師

二〇一三年十一月午後，於慈濟大學人文社會學院拜訪陳金木教授。在素雅整潔的研究室裡，竟沒有一般中文系教授研究室般書籍擁塞樣貌，僅有二、三百本書籍。或許是我的眼神在書架上停留太久，陳金木教授解釋道：「書架上全是教學用書。我在花蓮定居，買了一間透天厝，有很大的空間可以專門放研究用書。白天在研究室準備課程，晚上回家進行研究工作。」陳教授露出心滿意足的神情：「我現在過得很幸福。」陳教授長期在彰化任教，卻在嘉義定居多年，怎會想搬到花蓮？搭乘鐵路、高鐵，往返花蓮不是難事。他回答道：「我喜歡慈濟大學的教學環境，也喜歡花蓮的山水人情。既然二者都愛，為什麼不住下來？」一個從山間走出的年輕人，近中年之暮卻選擇定居海濱。「我不是來玩玩、教書而已。我是將花蓮視為生命最後寄託之地。」陳教授嚴肅地說道。

一　走出山間的青年

陳金木教授的成長背景與求學經歷，是最能鼓舞人心的勵志傳奇：一個赤足奔跑於坪林鄉間的孩童，在三十幾歲就成為受人敬重的大學教師。

陳老師出生於一九六〇年代的坪林鄉，在當時這是群山圍繞的貧困之地。陳金木教授說道：「因為當時大家都窮，所以從不覺得自己家裡很窮。但是，卻總想走出山間，看看山以外的世界。」要走出山間並不困難，國中畢業就可以順勢至臺北工作。但是，陳教授國小、國中階段學業出色，被師長稱讚有讀書的天份，「指定」為繼續升學的重點培養對象。陳教授幽默地說道：「我的天份都是師長在愛護學生的立場上被吹捧出來的，哪有什麼天份？我是『比馬龍效應』的受益者。」沉默一會兒，陳教授說道：「但是，我真的很愛看書，對我來說，那就是山外的地圖。」

當年，寒素子弟想要繼續升學，就只能選擇有公費待遇與就業保障的師範專科學校。要考取臺北師專並不容易，競爭非常激烈，所錄取的學生程度甚至比建中、北一女的入學水準還要高。陳教授沒有辜負家人與師長的期盼，在高中、師專、五專三種升學考試都取得優異成績，陳教授並不諱言當初選擇臺北師專的原因，就是政府提供全額公費的協助。陳教授說道：「一個在鄉下長大的國中畢業生沒有什麼雄心壯志，只要能走出去，任何機會我都會全力掌握。」

臺北師專求學階段是陳教授人生重大的轉折，也讓他看見了山外的世界，還有傑出的人才。陳教授笑著說：「我在臺北師專的成績平平，不是我不努力，實在是同學太強了。很感謝這些同學：所有莫名的傲氣都被他們的優秀碾平。」陳教授補充師專時期的求學過程說道：「我喜歡廣博的學習，閱讀各種人文、科學、教育類的書籍。所以，花在讀書的時間不少，感覺很充實。」一個從山間小徑走出來的年輕人，對各種知識充滿著巨大的渴望。

二　對教學的熱愛

陳教授平日溫和謙退，笑臉迎人，但是只要站上講臺，學生都能感受到陳教授滿載的熱情。陳教授說道：「就讀臺北師專第一年，只是把教師當做未來的職業。隨後在師長的引領下，慢慢理解教師肩負的責任，開始期待把教導學生當做春秋大業。第一次站上講臺，看到底下學生真誠、期待的眼神，我就告訴自己：這是我一輩子的志業。」陳教授露出調皮的神色說道：「剛剛說得太崇高。其實，不只他們需要我，我也需要他們。」陳教授至今對小學任教的歷程仍念念不忘，他說道：「那時候年輕力壯，每天都跟小朋友玩在一起，常保赤子之心，感覺永遠不會老。」但是，隨著學問累疊與思考深化，陳老師逐漸察覺在課堂上會不經意提到太過深奧的知識。陳老師說道：「有時一不注意會講到鄭玄、朱熹，或是五經內容。這對我的學生來說並不公平。很慚愧，浪費他們的時間，增加他們的困擾。」

所以就讀博士班時，陳教授申請嘉義師範學院的專任教職，離開十一年的小學教師生涯。隨後在彰化師範大學國文學系任教，很快地榮升教授。退休後，陳教授獲聘至明道大學中文系任教，兼任通識教育中心主任。陳教授苦笑地說道：「我實在不喜歡擔任行政工作，教學與研究還是我的最愛。」這段行政工作經驗讓陳教授有很深的體悟：「忙碌，會讓一個人忘記怎麼生活。」陳教授補充道：「因為兼任行政職，要花去很多的時間與心力，連上課的時數也被『減免』，一週跟學生說不到什麼話。我才發現過去安頓身心，讓我心靈喜樂的是教學工作。研究就更不用說了，沒有穩定的時間，很難沉澱。這些都讓我心有缺憾，若有所失。」

陳教授懷念過去教學與研究的純然快樂，所以當慈濟大學向他招手，就奔至花蓮，然後生根。

詢問陳教授的授課理念、方式，他說：「哪有什麼理念？只是我年輕的時候把學生當自己的弟弟、妹妹，年紀大的時候把學生當自己的子侄。就這樣而已。」陳教授謙虛地不願多說，還稱自己教學的水準不過平平而已。

由於博士班二年級後取得嘉義師範學院教職，後來又在彰化師範大學國文系任教，師範院校教師的身分，讓陳教授拓展其他的研究領域，如編纂、教材、教育、數位科技與人文等，這些研究成果極為豐碩。尤其是探討數位技術在人文研究方面的論文，不僅有理論，更有實踐。如〈電子全文資料庫與學術研究：以《四部叢刊電子全文檢索版》為範圍的考察〉、〈電子資料庫與古籍輯佚：以《四部叢刊・論語集解》檢索《論語鄭氏注》為例〉、〈網際網路與學術研究：兼論區域網域中的清代詩學資源〉，講述學術研究與數位資源結合的理論與實例，是開時代先河的論文。陳教授說道：「這只是教學的副產品。」他進一步解釋：「我求學時代閱讀的資料被印刷術壟斷，可是現在學生的閱讀將被數位科技覆蓋。那麼我該教學生印刷術時代的思考、尋找資料的方式嗎？顯然不行。所以要順應時代，遷就學生，學習數位知識，學生畢業後才不會與時代脫節。」陳教授開始關注數位科技的進展時，彰化師大尚未建構校園網路，於此可觀其遠見。陳教授補充：「用數位科技做研究，真是太方便了。省去許多搜尋資料的時間，用來進行思考、詮釋，這就是未來。」

慈濟大學東方語文學系張政偉副教授說道：「陳老師教給學生的

就是未來，就是生活。絕不是生硬死板的知識而已。」張老師於彰化師大國文系畢業，曾修習陳教授的「經學通論」課程，他回想當初的上課情形說道：「陳教授學問廣博而紮實，對學生充滿關懷！」張老師提到一般經學類課程，因為內容限制的關係，授課較容易僵化。但是，陳金木教授以其深厚的學養知識與豐富的生命經驗，讓經學活化，成為具有知識性、啟發性與應用性的課程。張老師特別強調：「我選擇經學為研究領域，就是受到陳老師的啟發！」張老師還提到，畢業數年後他至彰化師大，在系館偶遇許久未見的陳金木教授，結果：「他馬上叫出我的名字，連我家鄉在哪裡都還記得！」對離校多年的學生，仍能熟記名字，沒有對學生付出真正的熱情與關懷，做不到這點。

由小學老師至大學教授，陳金木老師執教鞭已近四十年。其中還任教於培養中等學校師資的彰化師大。因此，對小學到研究所階段的教育內容、制度，可說極為熟悉。請教陳老師對近年教育變革的看法，他無奈地說道：「要摧毀穩定的制度只要很短的時間，要建立可行有效的制度卻要幾十年。我們已經摧毀了穩定，新的制度卻仍在試驗。」陳老師對教育資源向高等教育傾斜頗為不滿，他說道：「我在大學教書，資源充沛，算是既得利益者，但我覺得這樣的分配並不合理。《論語》說的很清楚：『本立而道生。』以教育階層來說，根本在哪裡？就在小學、中學。小學、中學教育的品質與觀念沒有提昇，怎可能會有好的大學生？」陳老師強調：「第一流的教育人才一定要在國中小學任教，過去的師範體系提供這樣的機制。但是，教改的口號一喊，竟沒有論辯、深思的時間與空間，就將運作良好的師範體系擺在靶上讓人自由射擊。現在的師資培育管道，已經千瘡百孔。我只問一句：『有比以前好嗎？』」

然而陳老師對臺灣教育仍抱持深厚的期待，他認為教育在中華文化中有獨特而重要的地位，總會有很多人熱情地投身其中，開創偉大的教育事業。他說了一段很有哲理的話：「教育與社會緊密結合，既然臺灣社會特色是一團混亂，那麼教育也是。不過，不能放棄希望，現在堅持在教學崗位上的老師，去讀《雙城記》的前言，總要相信世界上總還有美好。」狄更斯《雙城記》引言前幾句是：「這是最好的時代，也是最壞的時代；這是智慧的時代，也是愚蠢的時代；這是篤信的時代，也是疑慮的時代；我們什麼都有，也什麼都沒有。」

三　迎難、合時的學術研究

詢問張政偉老師對昔日的恩師，竟成為現在的同事會不會備覺壓力，張老師回答：「陳老師是古之君子，他總是嚴格要求自己，寬厚對待他人。從不擺架子，與他相處，真是如沐春風。」張老師舉例說道：「你去查查陳老師升等教授之後，還寫過多少論文？最少五十篇以上！現在中文學界有幾個人可以超越他？由此可知他自我要求有多高。」

陳金木教授碩士、博士論文的研究對象分別是皇侃與劉焯、劉炫的經學。對中國經學史有基本概念就會知道：因為文獻散失狀況太過嚴重，所以研究南北朝經學的難度很高。但是陳金木教授卻選擇艱辛的研究領域，全力投入。陳教授說：「學位論文與指導教授的研究領域和風格，有很高的關聯。」陳教授師從政治大學呂凱教授，故其學術譜系乃由俞樾、章炳麟、黃侃、高明直傳而下。這些傑出的經學大師，其學術最大的特色就是「迎難而上」，竭盡心力，面對最繁瑣、艱深的研究課題。陳教授治學全力以赴，嚴謹不苟，以其博士論文《劉焯劉炫之經學》為例，幾乎蒐集所有相關文獻，仔細辨別，詳加條理，遍及諸經，最後完成的篇幅達到二千六百頁之多，這樣的份量幾乎是一般文科博士論文的十倍之多。至今，學界對劉焯劉炫經學的內容與成就能有較完整的認識，概由此書而來。

基於對知識的渴望，陳教授在國小任教時，報考師範大學國文系，隨後順利地「無縫接軌」，應屆考取政治大學中國文學系碩士班、博士班。至國家圖書館數位資料庫查詢陳金木教授的學位論文，最讓人驚訝的是他僅用三年時間就取得博士學位。要取得臺灣人文社會學科的博士頭銜並不容易，讀六年以上才能獲得學位算是常態，還有許多人讀到最大年限後只能以退學收場。陳教授淡然地說道：「現在想起來讀得太急了些。我應該要多讀幾年，好好享受學生求學時的氛圍！」陳教授話鋒一轉說道：「其實學位只是教育機制下的認證而已，我心裡總認為學無止境。人一輩子都要認真當學生，無論在學業、生活上都是。」

陳教授主要研究領域是經學，這是他一生不變的研究志業。重要著作如俞樾、章炳麟學派的研究特色是講求實證，重視邏輯，這點在陳教授的研究充分展現。陳教授說：「論文重點在『論』，不是想像。整篇都在寫自己的心情，那是『文學』。證據不僅是研究對象的相關資料，還要旁及多種學科才算完整。我盡力做到呈現『證據』，讓它和我一起說話。」陳教授的論文在學界屬於「難讀」，原因就在於「證據」繁雜，還涉及中文學門以外的知識。陳教授的論文在某個程度上來說已經由中文學科轉向「社會」學門。陳教授虛心接受眾人對他論文的批判，但是他也堅持：「我寫的就是我現在想的。或許是錯的，但請不要責怪我如是想，請先擊倒我提出的證據與邏輯。」

請陳金木教授介紹自己的學術代表作，他說道：「沒有什麼代表作！每一篇論文都只是我與時間、空間的產物。」這回答很有詮釋學的味道。

彰化師範大學國文系黃忠慎特聘教授是國內傑出的經學家，也是陳金木教授的摯友，他很瞭解老朋友的學術成績：「他是一位謙虛內斂的學者，真正用心作學問的君子。他不會跟人說他的研究有多麼重要。但是，他的著作是研究南北朝、唐代經學史必讀的資料。」黃教授具體指出陳教授的升等代表作《唐寫本論語鄭氏注研究：以考據、復原、詮釋為中心的考察》（1996年）是足以傳世的名山之作。鄭玄《論語注》在東漢、魏晉時傳習者頗多，但是在唐代之後逐漸被冷落，約在宋代時已鮮少流傳，之後便亡佚無傳。清代學者惠棟、宋翔鳳、馬國瀚等人為之輯佚，但是文獻材料散失太過嚴重，難得原貌。二十世紀初敦煌、吐魯番發現鄭玄《論語注》一些殘卷，引起當時王國維、羅振玉的重視。但是此時的材料仍舊太少，無法進行系統性研究。直至一九六九年在吐魯番墓葬中發現唐中宗時期的《論語注》長卷，才有足以全面研究的文本。陳教授的專書為臺灣第一本研究此領域的專門著作，全書超過千頁，完整蒐集各方殘卷，比較諸說，考證完備，詮釋深刻，讓失傳近千年的鄭玄著作，在今日獲得全新的生命。

在懇切地請求下，陳金木教授對自己的研究成果多說了幾句：「論文只是我的讀書心得，或者說與古人、前輩學者的對話，談不上有什麼貢獻。只希望他人觸及相關論題時，有機會看一下我的文章，印證也好，批判也罷，總是接續著這場對話。有對話，意義就開始產生。」

四　結語

慈濟大學人文社會學院旁的美崙溪堤，鮮明的太魯閣山系，與蒼藍相間的天空溶成一幅印象畫。陳教授淡淡地說道：「我是一個很平凡的人，年輕時卻總想做不平凡的事。」F十六戰機在不遠的天際拔高而起，堤畔的棒球場有一群慈濟大學學生在清理垃圾，這是該校特有的人文服務活動。陳教授喜悅地說道：「這幾年我才領悟：我終究是平凡的人，但是我有很多不平凡的學生。」

陳金木教授，臺北坪林人，政治大學中國文學博士，歷任國小教師、嘉義師院副教授，彰化師大、明道大學教授。現定居花蓮，任慈濟大學東方語文學系教授。執教四十年，是一位不平凡的老師！

致力於《尚書》學的研究

——專訪東吳大學陳恆嵩教授

劉千惠
東吳大學中國文學系兼任講師

一　前言

陳恆嵩教授，一九六〇年一月十四日生，雲林縣褒忠鄉人。褒忠這個地方有一項非常有名的民俗活動——吃飯擔，「吃飯擔」是此地特有的習俗，舉辦時間在每年元宵節，與北部平溪放天燈、南部鹽水蜂炮，並列臺灣元宵節三大民俗活動。「吃飯擔」之源起，主要是因為當初五股十三庄有瘟疫流行，當地馬鳴山鎮安宮五年千歲特地繞境保祐村民平安，村內人為歡迎五年千歲，並慰勞抬轎人的辛苦，每戶人家特地於繞完境後舉辦飯擔。對鄉民來說，「吃飯擔」也是吃平安飯，有為自己消災解厄的功能。民國一百年時，剛好輪到老師居住的村里主辦此項活動，老師還特地回到故鄉幫忙。說起褒忠鄉此項特有的民俗活動，或許因為被平溪天燈與鹽水蜂炮搶走所有目光，因此許多人根本不知道此項活動，老師對此顯得非常感嘆，希望多一點人能夠知道這項特別的民俗活動，並且了解其背後的意義。

直到高中為止，老師的求學範圍都是在雲林，直至大學時才北上，於民國六十八年進入東吳大學中國文學系，之後一路又繼續留在東吳念碩士班與博士班。

老師主要的著作，單篇論文方面重要的有：〈《書傳大全》取材來源研究〉、〈董鼎《書蔡氏傳輯錄纂註》〉、〈張九成及其《尚書詳說》〉、〈徐鹿卿及其《尚書》經筵講義研究〉、〈魏校及其《尚書》經筵講義析論〉、〈唐人疑經改經述論〉、〈五十年來的經學史研究〉、〈方志中人物傳記資料的檢索與利用〉、〈偽書和輯佚書資料的檢索與利用〉等數十篇，其範圍涵蓋《尚書》學、經學史專題及文獻運用等方面之研究；此外，另有《明人疑經改經考》、《《五經大全》纂修研究》等兩本學位論文，其中《《五經大全》纂修研究》已由花木蘭文化公司於二〇〇九年出版。

二　學思歷程

老師在高中以前都是在雲林求學，直到大學才北上。大學進入東吳中國文學系一年級時，剛好碰到了當時在東吳兼課的賴明德先生，賴先生上課時，一學期即開了十五本書單請學生閱讀，並需要撰寫讀書心得報告，閱讀的範圍包括梁啟超《儒家哲學》、朱自清《經典常談》等。正因為賴教授的嚴格要求，老師因此懂得廣泛閱讀的樂趣，並因此對儒家學說產生興趣。

除了遇到賴明德先生，老師在大一和大三時都曾上過劉兆祐先生國學導讀、訓詁學等課程。劉先生在大一時即要求學生們要把《說文解字》圈點完，但也因此培養了老師閱讀古文的基本能力。

到了大四時，老師又遇到了林慶彰老師。當時林老師所開授的課程是中國思想史，使用韋政通的《中國思想史》當作教材，每個單元林老師都會額外提供相關的書單，鼓勵學生課後閱讀，並能對每個單元有更深入的了解。受到林老師的鼓勵，因此老師都會在課後去圖書館找尋書單上的書目，並因而開拓了自己閱讀的視野。林老師除了羅列出相關的書單外，相當鼓勵學生們進一步報考研究所，老師不諱言，自己正是因為受到鼓勵，所以才又繼續報考東吳碩士班、博士班。

進入研究所後，除了在東吳上課之外，老師也到他校旁聽有興趣的課程，例如他在碩士班時就到臺灣大學中文系旁聽王叔岷先生的校讎學。在訪問中，老師一再提及相當欽佩王先生的人品及為人。因為旁聽王先生課程的緣故，所以和王先生變得較為熟悉，往後王先生出版著作時，都會贈送給老師，甚至後來老師結婚時，王先生也前來觀禮。在王先生去世後，老師也為其編纂〈王叔岷先生主要著作目錄〉，刊登於《中央研究院歷史語言研究所集刊》中，算是為王先生稍盡自己的一點心力。除了旁聽王叔岷先生的課程外，老師還去上了程元敏先生所講授的《尚書》學，對於自己後來鑽研《尚書》有很大的幫助。其後，老師也寫了〈《尚書》學研究的津筏——程元敏教授《尚書學史》〉一文，標舉程先生在《尚書》學上的貢獻。

除了旁聽課程外，老師進入研究所後，也開始加入林慶彰老師編輯目錄的團隊中。一九八七年四月，當時林老師正在編輯《經學研究論著目錄（一編）》，找了四位碩士班學生李光筠、張廣慶、劉昭明和陳恆嵩老師擔任編輯，該目錄收錄民國元年到民國七十六年間臺灣、香港、大陸，乃至日本、韓國、歐美地區以中文撰寫之經學相關論著條目一萬四千餘條，於一九八九年十二月由漢學研究中心出版。舉凡專書、期刊論文、報紙論文、論文集論文、博碩士論文、學術會議論文等，大抵皆可透過此部目錄加以掌握。雖然不能說百分百完備，但已是當時第一部收錄資料最豐富目錄，對於經學研究之幫助不可謂不大，成為研究經學不可或缺的工具書。

一九九九年五月，林慶彰老師又開始編輯《經學目錄》第三編（1993～1997），邀請老師擔任共同主編，編輯工作則由何淑蘋、李盈萱、翁敏修、劉帥青四位同學共同承擔，這第三編於二〇〇二年三月完成，於二〇〇二年四月出版。此編共收錄條目約一萬八千餘條。

以前的第一、二編都只有上、下兩冊，這第三編卻有上、中、下三冊，並不是忽然間研究經學的論文多起來，而是兩位主編都覺得一、二編經學家的相關資料收得太少，在第三編中擴大了收錄範圍，要蒐集經學家的資料就更方便了。

前文曾提過，老師的大學、碩士、博士學業，全部都是在東吳完成。民國八十七年時，老師完成了博士班課程，在此之前，老師一直在板橋亞東工專兼課。到了民國八十八年時，經由林慶彰老師推薦，老師回到東吳中文系貢獻所學。第一年回到東吳時，老師接了四個班級的大一國文課（外系二個班級，中文系二個班級）；第二年時，老師接了原由賴明德先生講授的史記課程。老師在東吳中文系曾開授的課程相當多，例如：國學導讀、治學方法研究、史記、左傳等等，並在研究所開了「宋明經學專題研究」的課程。

三　學術研究之方向與態度

老師從碩士班開始，即著眼於明代經學的研究，因此碩士論文以《明人疑經改經考》為題，探討明人疑經改經產生的種種問題。如老師在論文中所言：「明代經學師承宋人疑古之風，亦好疑經改經，前人未嘗詳加考核，即隨意貶抑，議為空疏浮淺，拾宋人之緒餘，不足採觀。本文撰作之目的，即試圖由明人之疑經改經去論究其內容及研究成果，以驗證前人之言。資料來源以明人之經學著作、詩文集及書目史志，舉凡論及疑經改經者，俱加採錄，而由資料中加以分析歸納，並闡明其意義。」先前已有葉國良先生所撰寫的《宋人疑經改經考》、徐玉梅的《元人疑經改經考》，但對於明人疑經改經的情形尚未有深入的探析，因此林慶彰老師希望有人能對此一課題有一完整的討論，故老師懇請賴明德先生指導，針對此一議題進行討論，詳細檢討明人疑經改經之成果及其缺失。

到了博士班時，老師仍將研究重點置於明代經學的專題研究上，其以明成祖時下令編纂的《五經大全》為題，撰作《《五經大全》纂修研究》。研究之動機，如老師於〈緒論〉一章所說：「筆者於就讀碩士班期間，為徹底瞭解前人斥責明人好以己意變易經傳文字的詳細情況，嘗以《明人疑經改經考》為題，探討明代學者對於群經注疏的懷疑及改動現象，瞭解明代經學的疑改風氣實承襲自宋儒而來，其治學企求獨立思考的精神亦沿襲宋儒。明代經學發展所以步趨宋儒，實根源於明成祖修纂降頒的《五經、四書大全》，後人抨擊明儒學術空疏亦導因於《五經大全》和《四書大全》以勦襲代替編纂，為進一步瞭解《五經大全》的纂修取材勦襲情形及其對明代經學的深遠影響，尋根探源，因而選定《《五經大全》纂修研究》作為研究論題來撰寫。」對於明代經學，後人多抨擊其學術空疏之病，且多將原因歸咎於成祖時下令編纂的《五經大全》、《四書大全》之上，且多人云亦云，未曾對其內容有過深入之探討。肇因於此，老師於是對《五經大全》進行全面性的考索，除了對各經正確之書名加以訂正（如《禮記大全》，其全名應為《禮記集說大全》）外，對於取材來源、徵引經說條目、引錄前儒人數等等，老師皆以明確詳實之統計資料為輔，具體舉出例證加以說明前人失誤之處，以使吾人對《五經大全》有一正確之認識。

關於《五經大全》之價值與對後世之影響而言，誠如老師在結論中所說：「前人普遍認為《五經大全》全部是剽竊前儒成編，並無絲毫價值。實際上，正因其博采宋、元儒者經說，『集諸家傳注而為《大全》』成為宋、元諸儒經注的統編總匯。搜羅宏富，宋、元儒者的經說資料，往往因被《五經大全》採錄而保存下來，可以提供後世輯佚及校勘之用。另外，《五經大全》的出現，標幟朱學統治時代的來臨，藉此也反映出朱子學術在明、清兩代發展的面貌。再者，前人雖因《五經大全》編纂資料是剽竊前儒而成，迭遭抨擊，明、清兩代經學的傳衍與發展，卻仍深深受到它的影響。因此，論及《五經大全》的價值與影響，絕不可因為清代學者過激之辭，就輕易的一概加以抹殺。」正因為看到前代學者對於《五經大全》有一偏頗之印象，往往對其書之價值視而不見，因此老師透過對《五經大全》的全面剖析，使大家能重新正視《五經大全》的價值與影響。

談到老師為何會以《尚書》作為自己後來研究的重點時，老師提到了對自己影響很大的林慶彰老師。當初林老師一直希望自己的學生都能專攻一經，在這樣的情況下，每位學生都選了一經作為自己專門研究的方向，例如李光筠先生選了《詩經》、張廣慶先生選了《春秋》，而老師就是選了《尚書》當作自己專研的方向。因此，老師目前主要的研究方向大致是在《尚書》學的專題研究上，並涉及宋明時期經學史的討論，並希望將來能擴及到《春秋》三傳的研究。

近年來，老師在《尚書》領域發表了多篇論文，例如：〈董鼎《書蔡氏傳輯錄纂註》對蔡氏《書集傳》之疏釋〉、〈張九成及其《尚書詳說》〉、〈劉三吾編纂《書傳會選》研究〉等，皆是著眼於

《尚書》方面的專題研究。

除了對《尚書》進行專題研究外，老師並從其中探討經筵與《尚書》間的關係，重點擺在宋代和明代經筵講義的探析。所發表過的論文如：〈徐鹿卿及其《尚書》經筵講義研究〉、〈魏校及其《尚書》經筵講義析論〉等，老師希望對經筵講義做一系列完整的討論，將來能將這方面的研究成果集結成冊，供學界參考。

經學文獻浩如煙海，研究經學要有所成就，對於文獻的掌握格外注意，也一再提醒學生們要重視文獻的重要。老師以為必須以文獻作為基礎，才能深入研究經學。文獻的作用，就如蓋房子的基石一般，倘若基礎都未穩固，又何談往上進行任何功夫？因此老師在東吳中文系教授「治學方法及其習作」一門課程時，格外要求學生要確實掌握文獻，並充分理解文獻。常藉由各項不同的作業，訓練學生們如何熟悉掌握各種不同的文獻資料。

舉例而言，為使學生了解類書的功用，老師以曹操〈短歌行〉一詩為題，讓學生們找尋不同文獻與類書記載此詩的不同之處。如李善注《文選》中，〈短歌行〉有三十句，但在五臣注《文選》中，卻有三十二句。在文句編排上，不同文獻之記載也有不同，如郭茂倩《樂府詩集》中的〈短歌行〉文句編排，與《藝文類聚》中的〈短歌行〉就有所不同。藉由這份作業，可讓學生們了解到因為文獻版本之不同，某些記載就會有所差異，其間的文字差異該如何取捨，就值得再做進一步的研究討論。

倘若未能掌握文獻，可能就會發生許多既定認知的錯誤。如世傳朱熹〈勸學詩〉：「少年易老學難成，一寸光陰不可輕。未覺池塘春草夢，階前梧葉已秋聲。」此詩世傳為朱熹所作，但翻查朱熹之詩集可知，其中並未收錄此詩，故是否是以訛傳訛所造成的錯誤？藉這個例子，老師再次提醒學生們應當要在文獻探索上多下功夫，千萬不要因一時疏忽而造成貽笑大方的錯誤。

有感於文獻的重要，因此老師一再向學生們強調要有扎實的文獻根柢，才能充分掌握資料，研究的成果也會比較正確。有的研究生常常會抱怨自己找不到論文題目，但老師強調，只要多熟悉文獻，多翻檢目錄，自然能夠找到撰寫論文的方向，甚至會發現有做不完的題目。會促使學生們能真正掌握文獻資料的檢索，因此老師在課程中特別要求學生們針對某一學者編纂研究目錄，內容包括作者傳記資料、著作目錄、書目著錄情況、後人研究篇目等等，訓練學生們編纂目錄的能力。藉由此一目錄之編纂，訓練學生蒐集資料的能力，並使學生了解到運用此一目錄可以如何開拓未來研究之方向。

四　未來研究之拓展方向

老師從研究所開始，即與林慶彰老師一同編纂經學目錄，因此對於目錄之編纂一直相當重視。正因為懂得版本目錄，因此才能更掌握文獻、了解入門書。有感於林老師一直持續編纂《經學研究論著目錄》，因此老師也在前幾年開始著手進行《十三經著述現存版本目錄》的編輯。

《十三經著述現存版本目錄》的編纂，乃是鑒於十三經相關著述浩如煙海，如何充分掌握歷代經學著述之版本，成為研究者討論某書時不可不知之必備知識，因此此套目錄之完成，將對目前經學研究有極大幫助。這套目錄卷帙龐大，因此耗費老師多年之心力，據老師表示，目前已完成《尚書》、三禮現存著述版本目錄的部分，三傳和四書的部分也大體完成，應該可以陸續出版。等此套目錄完成，老師也才能繼續盡全力，專心在自己學術方面的研究。

除了希望能在近幾年把《十三經著述現存版本目錄》完成外，老師也希望能對明代疑經改經這方面做更深入的探析。老師自謙當初撰寫碩士論文時學力有所不足，因此不能對此方面作思想層面及學術史方面的深入研究，如當初對於明人為何對《周禮》一書進行大幅度的改動，其是否受到時代風氣影響、背後動機、改動之意義等，皆未能有進一步的討論。因此老師希望將來若有機會，能再就明人疑經改經此一議題，進入更深一層、更細緻化的分析與討論。

此外，因為老師個人閱讀興趣之影響，所以他對於《春秋》三傳之討論相當感興趣，希望自己將來若有時間，能將研究之領域擴及到三傳上。

五　結語

筆者大學時即上過陳恆嵩老師所開設的「治學方法及其習作」一門課程，進入碩士班後，碩士論文又是由老師所指導，因此對於老師如何在教學時一再提及文獻的重要性有深刻的感受。老師即是有感於掌握文獻對於治學的重要性，因此不厭其煩地一再重覆警示學生，希望學生能將其作為任何研究的基礎，再進入到文本資料的探討。由其中，可以看出老師諄諄教誨的用心與苦心。

長久以來，老師一直埋頭於學術研究中，似乎也沒有專文介紹過老師，希望透過這篇小文，能使大家更加認識老師，了解老師目前正在進行哪些方面的研究。

讀書經世，文化薪傳

——專訪國立臺北教育大學孫劍秋教授

何淑蘋
實踐大學應用中文系兼任講師
李侑儒
臺北大學古典文獻與民俗藝術研究所碩士

盛夏溽暑時節，甫送走畢業學子，還未迎來青澀新鮮人，國立臺北教育大學（以下簡稱「國北教大」）的校園內，少了喧鬧，顯得格外靜謐。我們料想教授們平日裡忙於教學與行政，暑假或能稍事休息，因此趁此時向孫劍秋教授提出訪談的邀約。現任教於國北教大語文與創作學系的孫老師，身兼數職，包括華語文中心主任、教育部國民中小學九年一貫課程國語文課程與教學輔導組召集人，同時也是中華文化教育學會榮譽理事長、中華民國易經學會榮譽副理事長。辦公室內電話鈴聲此起彼落，訪談數度中斷，老師平日工作之繁重可以想見。

一　傾心文史，關注經典

回想求學階段，老師並非早就訂立志向，而是面對轉捩點時，才開始認真思考將來。老師坦言，從小對文史興趣濃厚，但並未刻意努力學習，直到高中，在升學和入伍間選擇了前者，才對課業有強烈的要求，而且基於喜愛傳統文化，中文與歷史的成績表現特別優異。聯考時在中文、歷史間抉擇，最終選定中文系。老師認為，讀中文可以瞭解更多古人智慧，對生活也能有更深層的體會，於是毅然投入中文的懷抱。

進入東吳大學後，老師努力汲取知識，希望為將來奠立良好根基。除了廣泛閱讀，更積極寫作，嘗試投稿。後來走向學術之路，正緣於大學階段培養出的研究興趣。老師回憶起最初其實偏愛文學，並非一開始就選擇「經學」這個較生硬的方向。之所以改變興趣，陳素素教授發揮了關鍵的影響力。大一上國文課時，陳素素教授以《易．繫辭》「古者庖犧氏章」為首講，又推薦周鼎珩《易經講話》當作參考書目，逐漸引起老師閱讀的興趣，開始瀏覽《易》學文獻，蒐集相關資料，留意可進一步探討的課題。大四那年，老師將心得撰成〈易經中的體用哲學〉，參加全國性《易經》論文徵文比賽，初試啼聲竟一鳴驚人，榮獲第四名。當年成績第一名從缺，二、三名得主皆大學教師，競爭激烈可以概見，這對於當時年輕生澀的老師來說，獲獎給予學術新鮮人極大的鼓舞，讓他對未來朝著研究之路邁進，增添無比的信心。

大學畢業後，老師緊接著報考研究所，順利進入政治大學。在政大一路攻讀，陸續取得碩、博士學位，獲得深富學養的教授們悉心教誨，使老師的學識與日俱增。尤其是擔任指導教授的呂凱老師，析疑解難，春風化雨，受業弟子莫不感受謙遜和煦的風範，從恩師身上習得的待人接物之道，更是受益無窮。而呂師母待學生親如子姪，殷殷關懷，也令孫老師感念。

就讀碩班期間，老師承蒙已故東吳中文系主任林炯陽教授的栽培，於民國七十四年（1985）延聘回母校擔任助教。當時的助教性質與現在不同，除了負責行政庶務外，還能開設課程。民國七十七年（1988）碩士畢業後，老師應屆考取博士班繼續深造，隨即在東吳講授「易經」課程。憑著幽默的談吐，淺易的言語，老師把向來令人備感典奧的《易經》，變得生動有趣，深受學子喜愛。大學授課加上校外演講，談經演《易》逾二十載，澆溉文化種子不計其數，令老師感到十分欣慰。

回顧與《易》結下的不解之緣，始於陳素素教授的啟迪，繼而獲獎的肯定鼓勵，再加上林炯陽教授的引薦。一路走來，老師慶幸得到眾多貴人的扶持與提攜，才能走進大學殿堂，將教育當成終身職志。

二　研治清學，探析《易》理

老師考入政大後，隨即立下明確目標，決心鑽研經學。平時除點讀經傳注疏，翻閱今人論著，加強經學素養外，也不忘增加小學類相關知識。研究所受到的學術訓練，令老師充分瞭解：要懂得中國傳統思想，必須研讀經學；為了研讀經學，必須掌握目錄、版本、校勘等文獻工夫，才能辨章學術，探賾索隱。

老師既以經學作為方向，碩論選擇清初最具代表性的學者——顧炎武，題目訂為「顧炎武經學之研究」。因顧氏治學嚴謹，實事求是，為抉發其經學內涵，老師詳讀文本，研析考索，撰成十餘萬字的論文，獲得中國學術著作委員會獎助印行（第111號）。老師認為，清代學術整體而言偏重考據，研究對象挑選重視徵實精神、下開乾嘉學風的顧炎武，正可藉此強化對考據和小學的訓練。而在研究過程中，老師發現乾嘉學者中繼承顧氏最多的人應是惠棟。因此研究範疇由一家擴大成一派，博論題目訂為「清代吳派經學研究」。

博班期間的老師除在政大修課外，也常至他校旁聽，其中包括臺大程元敏教授的經學課程。程教授為國內知名經學家，獲知此一題目後，曾提醒說：「訂得太大了！應該縮小題目，做深入一點，題目太大寫不出好內容的。」對於程教授的諄諄教誨，老師理解且銘感於心，但因題目早已提交出去，不便更動，所以未再作調整。老師深知吳派涉及學者甚多，如欲逐一深入探討，在修業時間限制下，絕對難以面面俱到。現在看來，當初的論文已有不少需要刪改和增補之處。老師希望未來能重新修訂，將舊作整理得更完整些。

研《易》多年，老師一方面研究哲理，同時致力於推廣經典。研究方面，老師反對「易術」，主張恢弘義理內涵，闡發人文精神，關注王弼、張載、許衡、俞琰、顧炎武、黃宗炎、惠棟、焦循、熊十力、錢穆等人學說，發揚先賢思想；同時又與醫藥、軍事、管理等學科結合，揭櫫《易》道無所不包，深富人文內涵，並可施用於現代社會的一面。相關成果已集結為《易理新研》（臺北市：臺灣學生書局，2000年再版）、《易、春秋與儒學思想研究論集》（臺北市：中華文化教育學會，2007年）、《易學新論》（臺北市：中華文化教育學會，2007年）。至於推廣方面，老師曾在報刊上撰文介紹《易經》原理及回答讀者提問，也常接獲各級學校、社會團體專題演講的邀請，用通俗生動的方式解說，讓更多人對《易經》有正確的認識與瞭解。

三　學問經世，推動華語

學術研究之餘，老師對一般人忽略的「經濟之學」相當留意，更用作勉勵自我的人生指標。讀博班時老師已在兼課，某天班上學生提出疑問：「您這麼年輕就取得博士學位，將來還要做什麼呢？」促使老師深思未來發展，歸納出「明儒理精要，辨漢宋幽微，集清學大成，闢經世坦途」四句話，當作期許自己的座右銘。

民國八十九年（2000），老師轉至國北教大語教系任教。為配合系所方向與課程規劃，逐漸投入多媒體教學、華語文教學。老師不諱言調整方向之初花費許多心力，但多媒體、華語文教學都是強調應用的學科，尤其因應全球華文熱潮，臺灣若能有計劃地培育師資，將來便可肩負起傳播文化的任務，並能擴展良好外交，延伸國力。這些和老師一貫以學問經世的目標正相合轍，於是逐漸調整關注方向。

民國九十五年（2006）十二月，老師受聘為國北教大華語文中心主任，一邊與委外單位合作，籌辦師資培訓及招收外籍生；一邊接受新北市教育局委託，統計分析新北市國小中高年級學生國語文水平。接掌之初，原僅專任助理一名、兼任教師三名的簡單編制，在老師耕耘下，規模逐步擴大，現已有專任助教一名、專任助理二名，華語文教師二十四名。此外，臺灣已有多所華語文中心，其中臺大、臺師大發展較早，是外籍生來臺的首選。為擴展知名度，老師化被動為主動，前往日、韓、約旦等國，與海外學校商討合作計畫。經過數年經營，增加師資，調整課程，逐漸擁有吸引外籍生就讀的條件。老師說，初期招收外籍生還需與國際扶輪社合作，才能湊滿三個班的學生；現今，招收一年期以上的外籍生人數，於九十九學年度已達三百八十五人，開班數也有二十四班之多。

因應全球中文熱，兩岸積極推動華語教學，首先需要解決的問題便是「文字」。對此，老師秉持重視文化的態度，強調聯合國承認簡化字為世界通行文字，這是無法改變的國際現實。然而外籍生學了簡化字後，對中國文化產生興趣，會前往大陸各地旅遊、參觀，而那些文化景點所保存的古人遺風大都是正體字，他們慢慢就會瞭解正體字之美，逐漸回頭來學正體字。其實簡化字趨向拼音化，對傳統文化會產生斷層。臺灣使用的繁體正字不僅是真正的形、音、義具備，還蘊藏豐富的文化內涵。至於香港，語言雖和臺灣不同，但官方也是以繁體正字作為主流文字。可見正體字並不會消失，因為它所具備的文化深度絕不容抹滅。

四　薪傳文化，關懷教育

研讀經典讓老師感到對薪傳文化有一份責任，因此除教職外，還曾擔任中醫典籍學會理事長、中華文化教育學會理事長、世界文化道家協會副理事長、中華華語文教育學會理事長，及中華民國易經學會副理事長。其中，對老師而言別具意義的是「中華文化教育學會」。成立這個學會的契機，正是基於傳承文化的使命感。草創迄今已逾十年，老師先後擔任兩屆理事長，八年任內，每年固定籌辦研討會，廣邀學者專家一同關懷文化議題。老師卸任後榮升榮譽理事長，理事長一職則由前政戰學校校長于茂生中將接任。

教學、行政加上各種活動，本已相當忙碌的老師，因緣際會下成為教育部國民中小學九年一貫課程國語文課程與教學輔導組的召集人。這個職務主要是推動教育部最新的教育政策，與輔導全國中小學國語文教育的正向發展，上個學年度還參與修訂九年一貫國語文課程綱要。課綱是中小學教育的根基，舉凡教科書編寫、教師教學指標、學生學習內涵等全囊括其中，確實能主導中小學國語文教育的方向。

回顧九年一貫國語文課綱的發展歷程，起自民國八十八年，國內正準備實施九年一貫的教育改革，九二年發布過一個暫綱，九七年正式發布九七年課綱，並明訂三年後（民國一百年）實施，但此課綱因政黨輪替，致部分條文改動使課綱產生矛盾而有窒礙之處，例如將「國語文」改為「華語文」。老師認為外國人稱我國語文為「華語文」是正確的，但我們自己應稱作「國語文」才是，否則不是把自己當外國人嗎？老師邀集全國各地專家學者齊聚國北教大，審慎面對修訂課綱的任務，包括明定學習內容與方式、刪修冗贅字句等。修訂工作從二月始，至四月初完成。如今最新版國語文綱要已於四月六日正式發布，八月開始實施。

身為教輔團召集人的老師，時常需要到各縣市去和教師們做近距離交流。老師十分肯定國內教師的專業能力，只是在時代不斷進步的今天，必須因應學習需求，適度調整教學。舉例而言，現今大家都重視閱讀，然而識字是閱讀之基礎，惟有字詞認識多了，才能流暢地進行閱讀。老師指出，我國學生識字能力在國小階段是值得肯定的，但到了國中，可能有外緣誘因，與教學層面的偏重關係，致使語文能力逐漸不受重視。民眾或媒體經常提到學生國文能力下降的問題，起因即是基礎工作未能妥善落實，而學生又缺乏自學能力，遂使學習成為「記問之學」，如此的語文訓練效果當然無法長久持續。

另外，我國非常重視國際閱讀評比，其主要指標為社會適應能力和中文應用能力。但老師認為，國際閱讀評比傾向社會學習能力的測試偏多，而我國中小學學生其實已具備獨立判斷的能力。站在教育者的立場，教育並不只為了讓學生將來在社會上懂得如何應用，更應教導他們如何提升心靈。老師特別強調：「品格的陶冶、心靈境界的提升，是無法從國際閱讀評比指標中習得的。」

五　展望世界，堅信專業

念文史科系的學子常被質疑是否擁有前景？畢業能不能找到一份好工作？對於中文系學子的就業之路，老師勉勵應具備自信。讀中文並非缺少發展的可能，例如全球正掀起中文熱，華語師資的需求量就相當龐大。不論什麼科系，進入職場後，所學與所用未必切合。因此，攻讀中文的學子，應努力奠定基礎，培養閱讀、思辨、寫作等能力。將來不論接觸哪一種工作，都能以正面積極的態度去迎接挑戰。所以，關鍵並非就讀的科系，而是為人處事。擁有良好的學習態度，將來在職場上做任何工作都會有幫助。

其次，老師不斷強調，學習中文未來仍有很多工作機會，同學們不妨培養專長，把握契機。以全球人口六十億而了解中文者僅十三億的比例來看，突顯出華語教師就業市場的龐大。華語雖與傳統中文在教學方法上大相逕庭，但如何教授我國的文化、語言，讓外國學生充分瞭解，是未來可努力的方向。此外，另一趨勢是數位化市場。不論華語文教材、學習，都需建立教學平台，以縮減空間限制，這方面仍有相當大的發展空間。

老師認為，讀書目的不在求得好工作，而是窮困時能獨善其身，成功時能兼善天下。致力將所學予以應用，做出值得做的事情，這便是老師後來願意由傳統中文轉進華語文教育的原因。臺灣要走出去讓全世界認識，華語文正是重要的媒介。因此，接下國北教大華語文中心主任一職，對老師來說具有獨特的意義。而近年承接教育部國語文相關專案，也是抱持著薪傳文化的想法。藉著這些職務，實現年輕時的理想，工作繁重卻樂在其中。老師期盼理想付諸實踐後，能俯仰無愧地交棒退休，甘願做一名不問世事的文化閒人，重新享受閱讀寫作的悠然愉悅。

附錄

文章原發表《國文天地》卷期一覽表

	篇名	作者	卷期(總期數) 年月
1	高仲華教授的一堂課	陳光憲	21/12（252） 2006.5
2	吳璵教授的治學特色及其成果——以甲骨卜辭考證殷商爵等的先驅	鄭月梅	26/6（306） 2010.11
3	程元敏教授研究《尚書》的成就	陳讚華	22/10（262） 2007.3
4	文字學之巨擘——許錟輝教授的學思歷程	葉純芳	25/1（289） 2009.6
5	胡楚生教授與清代學術史研究	楊　菁	22/1（253） 2006.6
6	李威熊教授與經學史研究	楊　菁 劉子維	22/3（255） 2006.8
7	稟承孔孟老莊之遺風，融貫儒道法家於當世——專訪哲學界巨擘王邦雄教授	彭莉婷	28/4（328） 2012.9
8	諦究經史字學，迭見別識心裁——蔡信發教授的學思歷程	柯明傑	25/2（290） 2009.7

	篇名	作者	卷期（總期數） 年月
9	以典籍中的天文研究發揚傳統科技文化——莊雅州教授的治學特色及其研究成果	鄭月梅	23/5（269） 2007.10
10	當代君子儒——訪陳光憲講座教授	張于忻	25/2（290） 2009.7
11	豪華落盡見真淳——實踐地儒學家曾昭旭教授	曾文瑩	27/7（319） 2011.12
12	閱萬品人，歷萬般事——董金裕教授學思歷程	陳逢源	24/9（285） 2009.2
13	鎔東亞儒學於一爐而冶之的黃俊傑先生	張崑將	24/3（279） 2008.8
14	望之儼然，即之也溫——訪臺灣大學夏長樸教授	陳顥哲	26/12（312） 2011.5
15	經學史研究的總工程師——林慶彰教授	葉純芳	28/12（336） 2013.5
16	葉國良教授的治學觀念與教學理念	黃啟書	23/6（270） 2007.11
17	新儒家的傳承與開展——楊祖漢教授談哲學思辨對道德實踐的功用	李唯嘉	26/8（308） 2011.1
18	洞見古今，深識王霸——訪問林聰舜教授	劉芷妤	27/12（324） 2012.5
19	學問篤實豐厚的季旭昇教授	許秀貞	27/9（321） 2012.2
20	李明輝教授與比較哲學	彭國翔	22/12（264） 2007.5

	篇名	作者	卷期(總期數) 年月
21	黃忠慎教授的《詩經》研究之路	張政偉	24/7（283） 2008.12
22	克己復禮　儒風化人——林素英教授及其禮學研究	莊易耕 陳姝伃	28/1（325） 2012.6
23	身體、神話與理學——楊儒賓教授治學理念與近年學術成果述要	姚彥淇	24/1（277） 2008.6
24	從經學到文獻學——張寶三教授的學思歷程	張琬瑩	29/3（339） 2013.8
25	乾坤並建，體用一如——從「新儒學」到「後新儒學」的開啟者林安梧教授	謝淑熙	25/8（296） 2010.1
26	用生命織就學術網——張麗珠教授與清代學術思想研究	商　瑈	25/7（295） 2009.12
27	開拓經典詮釋與中國思想史研究的新境——鄭吉雄先生二〇〇八年前的業績與方向	傅凱瑄	24/10（286） 2009.3
28	以教學與研究安頓身心的實踐者——陳金木教授專訪	黃絢親	29/10（346） 2014.3
29	致力於《尚書》學的研究——專訪東吳大學陳恆嵩教授	劉千惠	28/1（325） 2012.6
30	讀書經世，文化薪傳——專訪國立臺北教育大學孫劍秋教授	何淑蘋 李侑儒	27/6（318） 2011.11

經學研究叢書 0500005

當代臺灣經學人物第一輯

主　　編　林慶彰
編　　輯　何淑蘋

發 行 人　陳滿銘
總 經 理　梁錦興
總 編 輯　陳滿銘
副總編輯　張晏瑞
編 輯 所　萬卷樓圖書股份有限公司
排　　版　游淑萍
印　　刷　百通科技股份有限公司
封面設計　斐類設計工作室

發　　行　萬卷樓圖書股份有限公司
臺北市羅斯福路二段 41 號 6 樓之 3
電話 (02)23216565
傳真 (02)23218698
電郵 SERVICE@WANJUAN.COM.TW
大陸經銷　廈門外圖臺灣書店有限公司
電郵 JKB188@188.COM

ISBN 978-957-739-921-2
2017 年 12 月初版二刷
2015 年 8 月初版
定價：新臺幣 380 元

如何購買本書：
1. 劃撥購書，請透過以下郵政劃撥帳號：
帳號：15624015
戶名：萬卷樓圖書股份有限公司
2. 轉帳購書，請透過以下帳戶
合作金庫銀行 古亭分行
戶名：萬卷樓圖書股份有限公司
帳號：0877717092596
3. 網路購書，請透過萬卷樓網站
網址 WWW.WANJUAN.COM.TW
大量購書，請直接聯繫我們，將有專人為您服務。客服：(02)23216565 分機 10

如有缺頁、破損或裝訂錯誤，請寄回更換

國家圖書館出版品預行編目資料

當代臺灣經學人物第一輯 / 林慶彰主編、何淑蘋編輯. -- 初版. -- 臺北市 : 萬卷樓, 2015.08
面；　公分. -- (經學研究叢書)
ISBN 978-957-739-921-2(平裝)
1.經學 2.人物志 3.臺灣
090.99　　103027267